THE GREAT BOOK OF
SUDOKU

ARCTURUS

ARCTURUS

This edition published in 2014 by Arcturus Publishing Limited
26/27 Bickels Yard, 151–153 Bermondsey Street,
London SE1 3HA

ISBN: 978-1-78404-059-8
AD004141NT

Printed in the UK

How to Solve Sudoku

There is no mystique about solving sudoku puzzles. All you need are logic, patience and a few tips to get you started. In this book the puzzles get tougher as you progress through the book. The process for solving puzzles at different levels is exactly the same, however.

Each puzzle has 81 squares formed into nine rows, nine columns, and nine 'boxes' each of nine squares, shown heavily outlined:

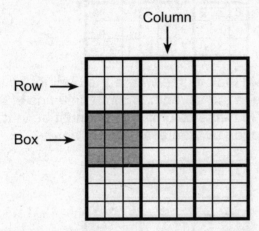

Each puzzle begins with a grid with some of the numbers in place:

	9	6			8		3	
		1		4	2			
5						8	1	9
4		7	1	2				3
		8	7		6	5		
2				9	4	6		1
8	7	2						5
			3	5		1		
	3		2			4	6	

You need to study the grid in order to decide where other numbers might fit. The numbers used in a sudoku puzzle are 1, 2, 3, 4, 5, 6, 7, 8 and 9 (0 is never used).

For example, in the top left box the number cannot be 9, 6, 8 or 3 (these numbers are already in the top row); nor can it be 5, 4 or 2 (these numbers are already in the far left column); nor can it be 1 (this number is already in the top left box of nine squares), so the number in the top left square is 7, since that is the only possible remaining number.

How to Solve Sudoku ...

The grid now looks like this:

7	9	6			8		3	
		1		4	2			
5						8	1	9
4		7	1	2				3
		8	7		6	5		
2				9	4	6		1
8	7	2						5
			3	5		1		
	3		2			4	6	

Alternatively, you could look to see where the 5 might be in the top right box. It cannot be in the seventh or ninth columns of the grid (there are 5s already in these columns), so it must be in the eighth column, in the only space available, as shown here:

7	9	6			8		3	
		1		4	2		5	
5						8	1	9
4		7	1	2				3
		8	7		6	5		
2				9	4	6		1
8	7	2						5
			3	5		1		
	3		2			4	6	

A completed puzzle is one where every *row*, every *column* and every *box* contains nine different numbers, as shown below:

Column

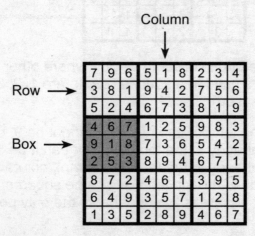

Row →

Box →

7	9	6	5	1	8	2	3	4
3	8	1	9	4	2	7	5	6
5	2	4	6	7	3	8	1	9
4	6	7	1	2	5	9	8	3
9	1	8	7	3	6	5	4	2
2	5	3	8	9	4	6	7	1
8	7	2	4	6	1	3	9	5
6	4	9	3	5	7	1	2	8
1	3	5	2	8	9	4	6	7

1

	8	1			5	9	4	
3		5			1	8		7
	4		8	6	3		2	
5		8	1		7			6
	6	2		8		5	7	
9			6		2	3		1
	1		2	7	8		5	
8		6	5			7		2
	5	7	9			4	3	

2

7				5				4
4		8	6			5		1
5	2		1	9	4		8	3
9				8	2	1	4	
		2		6		3		
	6	4	9	7				2
1	7		5	2	6		9	8
2		9			3	6		5
6				1				7

3

6	3		2			1		7
					3	4	6	2
4		7	1	9			8	
	6	8		5		9		1
1			8		9			4
5		4		6		2	7	
	4			8	7	5		6
7	5	1	6					
9		6			5		2	3

4

4	3		8	6	1		7	2
		8			9			1
	7	5			4	9	8	
6			9			8		
	2	4	1	8	5	3	6	
		1			3			5
	1	7	5			2	4	
3			4			6		
5	4		3	2	8		9	7

5

		8	3	7		6	9	
9	6				8		7	
	2	4			6			8
	7	1	2		4	5	3	
6				5				7
	4	5	7		9	1	8	
3			4			9	1	
	5		1				6	2
	9	2		8	5	7		

6

3			8				4	2
	9		6	7		3		
8	2	1			4	7	6	9
6				5		9	2	
1			9	8	7			6
	3	8		2				5
7	1	9	2			6	5	3
		5		9	3		1	
4	8				5			7

7

	7	6		3		9		5
	9			5	1	8	3	
			2			1	4	6
4			3	8	6			
7		8		4		5		9
			9	7	5			4
8	6	1			9			
	2	5	4	1			7	
3		7		6		2	9	

8

9	4				3	6	2	
		1	5			7		9
	2			4	1			5
7	3	8		9	4	5		
5	9						3	2
		2	3	6		9	7	8
8			1	7			6	
1		3			2	8		
	7	9	6				5	4

9

		9		7			3	6
8	2	6			4			
1	7		8	9			5	
		2	9	3		6	8	4
9		5		2		3		1
3	8	4		1	7	2		
	3			8	2		4	9
			5			1	6	8
4	5			6		7		

10

	4		8	2	7		5	9
	7	3	9			6	4	
8			3			7		1
6			5		2	8		
	2	5				9	1	
		7	1		3			2
7		2			9			5
	9	1			6	4	8	
4	3		7	1	5		9	

11

5		9		4	2	6		8
			1					3
	6	8		5		2	7	
8	4	1			6		2	
	9		8	2	7		5	
	2		4			8	3	6
	8	3		9		7	4	
4					5			
9		7	3	8		1		2

12

	5	7	8			6		
2		1		5	4			9
9	6			7			5	4
	1		3		8	5	6	2
	8						7	
5	4	3	7		6		1	
1	9			8			3	5
3			1	6		8		7
		4			2	1	9	

13

		1		9		7		6
4	2		7		6		3	9
7			5		8			4
2		8	6	5	9	3		
6	7			2			8	5
		3	8	7	1	9		2
1			9		7			8
8	5		2		3		9	1
9		2		8		4		

14

7	1		9	3		4		
5				6	8		2	1
			7			9	6	3
9		8	2	5			1	
	2	7				5	9	
	5			9	4	8		2
8	6	3			1			
4	9		6	2				7
		2		4	9		3	5

15

	3	9		5	7			6
1			6		8			5
	2			9			4	7
	5	6	8	3			2	9
		8	2		6	1		
3	1			7	9	4	6	
9	4			8			3	
2			9		4			1
5			3	1		9	8	

16

	8	7		4	6			3
2		1		7			9	
3		9					4	5
6			5		8	3		
1	9		4	6	7		8	2
		5	2		9			1
4	5					6		8
	3			2		1		7
7			6	5		9	2	

17

		6			7	2	4	
2	7	1						9
4	3	9		5	8		1	
6			1	8			3	5
	9		3		4		7	
1	4			2	5			8
	1		6	9		5	2	4
9						3	8	7
	5	4	8			6		

18

1		4		5			3	
5	7		6	9			1	4
3		2			1	8	9	
		6	7	1				2
	3	1	5		9	4	7	
8				2	4	1		
	8	9	1			7		6
7	1			8	6		4	3
	2			4		5		1

19

		1	9	8			4	2
6	7		2			8		
4	8			3	6		7	
7	2		8		9		6	1
		5		6		7		
9	6		7		4		2	3
	3		1	7			5	4
		4			3		8	7
8	9			2	5	3		

20

6		3		1		5		
	4	1	5		6	7	2	
2		5			8	6		1
5	8			3	9			
4			1		5			7
			4	2			5	6
9		4	7			1		8
	3	6	8		1	2	9	
		8		6		3		4

21

				9	6		7	
9	5	3		4			6	
			3				1	
4		7	9		1	3		5
	8	5				2	9	
3		6	8		2	7		1
	4				8			
	3			1		6	5	8
	7		6	2				

22

		8	7			6	4	
	7	3	9	4				
	1		5		6	8		
9				3	7			4
5		6				7		3
3			6	9				2
		2	8		9		7	
				7	2	3	1	
	6	4			1	9		

23

8		7			9	6		5
		3		2		8		
	5	1	7			2	3	
2	4			1	6			
9								6
			5	3			8	4
	1	9			4	7	6	
		4		7		3		
7		2	8			4		1

24

	7		4		2		3	
5	3		6		7		8	1
		9		8		7		
		4	8	2	6	1		
7	6						2	4
		1	9	7	4	8		
		5		4		3		
2	4		1		5		9	8
	9		7		8		4	

25

			7			8		3
2	7		6				1	
	1	6	4	9				2
	8		3			1		7
		4	2		5	3		
5		1			7		9	
3				8	6	9	2	
	6				2		4	5
9		5			4			

26

2			6		9			4
	9	4		8		1	5	
	7			1			2	
	6	1	4		3	9	8	
9			1		7			3
	2	3	9		8	7	1	
	3			9			6	
	4	9		7		5	3	
5			3		6			1

27

		4			1	9		3
2	3				9			
5				6	4	1	2	
		6	5				8	7
	9		1		3		5	
3	8				7	2		
	4	8	9	2				1
			7				6	5
1		7	4			8		

28

7				8		6	5	1
1			5	7	4			
9			6		1			
	4		3		2	8		
6	9						2	3
		1	9		8		4	
			7		3			8
			1	2	5			4
4	5	3		9				7

29

1			9		2			4
		4		8		6		
	8	5		7		2	1	
	2	7	1		3	9	8	
3			8		6			2
	6	8	2		7	4	3	
	5	3		6		1	2	
		9		2		3		
8			3		9			5

30

	7		9		2			1
8	1		7		5			3
		4		8			9	
5			1			9	3	
9				5				8
	6	7			4			2
	2			3		1		
4			5		7		6	9
1			6		8		4	

31

		8	1			5		7
1	3	9					4	
			8	4				6
9	7		6	1			8	
3			9		5			4
	1			2	7		6	5
6				7	1			
	4					6	2	3
5		2			3	8		

32

		2			4	1	8	
1	4	9						7
				5	6		9	
9	8			1	5			6
	7		3		8		4	
2			9	6			3	5
	9		2	7				
7						3	6	4
	5	8	6			2		

33

7	1	4			8			
6				4		8	3	
	2	3	5	1		9		
				9	2			5
9	7						2	8
5			6	7				
		8		2	1	6	7	
	4	9		6				2
			3			5	1	4

34

4		1	9		8	5		7
		5	7		2	1		
	9			1			6	
	8		1	2	5		7	
2		3				4		1
	1		3	4	7		8	
	5			7			2	
		2	4		1	6		
9		6	2		3	7		8

35

1	8	3			9			
	7			1		5		9
5		6	4	3				2
				2	6		4	
	2	8				6	9	
	4		7	8				
9				6	3	8		7
2		1		7			6	
			5			3	1	4

36

6	7		5				9	
		4				8	1	5
3			9	4				
		9	3	5		6		1
4			1		7			8
7		3		2	6	5		
				6	5			3
8	3	2				4		
	9				8		2	7

37

3			9			5		2
4		9	7	5				
		8	1		2			3
	4		2	7			6	
2	1						4	9
	7			4	9		5	
6			3		7	9		
				9	6	8		4
5		2			8			7

38

2			6		9			1
	7			8			2	
	9	1		5		8	3	
	6	8	1		4	9	5	
9			8		7			4
	2	4	9		5	7	8	
	1	9		7		3	4	
	4			9			6	
3			4		6			8

39

	6		1					
		1		5	8	3		6
2		9	3				1	
5		7			2	4		8
	3			4			5	
9		4	6			7		1
	8				9	6		7
6		2	4	1		5		
					7		2	

40

			5				7	
7		3		2	9	5		
	5		3			6		8
5		4	7			1		6
	2			1			3	
9		1			8	4		2
4		7			6		9	
		2	1	5		8		7
	8				4			

44

41

8					7		6	2
	1	5			2			
	6			3	4	7		8
	2	8			1			5
		1	9		6	4		
3			2			8	9	
6		3	7	5			1	
			4			9	3	
4	9		6					7

42

			6				4	7
4		1	8	3			9	
	7	6	1			8		
		4	5				7	2
9			7		1			6
2	5				9	3		
		2			8	5	1	
	1			4	6	2		8
3	9				5			

43

	5				1			7
		1			3		4	9
		6	2	7		3		1
	3	5		8				6
	4		5		9		8	
9				4		1	2	
3		8		2	5	9		
5	7		9			6		
2			4				3	

44

			2			3	7	4
6				3	8	5		1
2		1		4			9	
				7	9		8	
	2	5				7	6	
	8		5	6				
	5			9		4		6
9		7	3	5				2
8	4	3			1			

45

7	8		4	6			9	
					9	7		
		9			8		1	5
4	3		5				2	6
		6		3		8		
9	2				7		3	1
2	7		1			4		
		5	2					
	6			9	3		5	7

46

3	1		6	4				
	9	2				7		4
	8	5		1				9
		6	3				2	
9		8	1		4	5		3
	7				5	8		
2				5		1	8	
7		4				3	6	
				7	6		9	5

47

	6		1			2		7
7	3				4		5	
4			5	2		9		
8	7	3		6	1			
9								4
			2	7		1	8	3
		6		3	5			8
	8		9				1	5
2		4			6		7	

48

7			4		8			9
	6			2			7	
9		5	3		7	1		2
	1		6	7	4		2	
3		7				4		8
	4		2	8	3		1	
4		8	1		5	2		6
	5			4			9	
6			7		2			4

49

6	5				9		4	1
	3			7			6	
	2	1	5			3	7	
			1	3		6		8
9								4
7		8		2	4			
	9	2			8	4	5	
	8			5			3	
5	7		6				8	2

50

3	1				6		2	8
	6	8	4			1	9	
	5			1			6	
4		6	7	5				
		3				2		
				8	3	9		6
	4			9			5	
	3	7			2	4	1	
5	9		1				8	7

51

	2		1		7		6	
		8		6		5		
9	6		8		4		2	1
		4	6	7	2	1		
7	3						9	6
		6	3	9	1	4		
8	5		7		3		1	4
		2		1		7		
	7		9		6		5	

52

	6		7		5			2
			6	2			1	3
8	9		3				7	
		7	2	1		9		
	8	4					1	2
		1		7	8	6		
	5				2		8	9
2	1			9	7			
3			8		4		5	

53

		6	1		9		7	
3				8		1		
	8	7	6		4		5	
	4		7			5		1
	1			4			8	
6		2			3		9	
	3		4		6	2	1	
		9		5				7
	7		2		8	3		

54

3			1	5	8			6
1		4			2	7		3
	8				4	1		
	7				6	8		
5		6				2		9
		1	4				5	
		5	2				6	
2		9	7			3		8
4			6	9	1			2

55

2	7	8		6			5	
			2	9	4		7	
			8		5		1	
		4	1		6			7
6	3						8	9
7			9		8	1		
	6		4		3			
	4		7	5	2			
	5			1		3	4	2

56

7			1			9	3	
	9	4		2	8	5		
			3					4
	1	8			9	3	2	
6				8				5
	5	3	4			8	7	
9					2			
		2	7	5		6	9	
	4	1			6			2

57

5	1			9			4	7
8				4				5
		3	5		8	1		
6	4		7		5		3	8
		5	3		9	4		
3	9		4		6		5	2
		7	8		4	2		
2				3				9
1	3			6			7	4

58

7	1		5	2		4		
			3			8	6	
3		4	1					7
6			8			3	7	
	5		4		9		8	
	7	9			3			2
1					4	9		5
	9	2			5			
		8		6	1		2	4

59

		8			1			4
	6				7	3		5
	7		5	4			9	8
6				9		8	5	
		9	7		5	1		
	2	4		1				7
2	8			3	4		6	
7		1	8				2	
3			2			5		

60

		8	1	9		2		3
	9	1		7		8	6	
6					4			
	3		6			9	1	5
	7						4	
9	6	2			5		3	
			2					1
	5	9		4		3	8	
4		7		6	3	5		

61

7	9	2				3	8	6
	8		9	2			4	
		3	7			5		
		7	1				2	
8			3		6			9
	4				5	8		
		1			4	6		
	3			1	7		5	
6	7	8				9	1	4

62

			4	8	9	5		
			2		5	3		
4	2	5		1		8		
9			3		1		5	
7		6				2		3
	1		6		7			9
		8		3		9	6	4
		1	8		6			
		9	5	7	4			

63

		6	1		2	4		
	4			9			8	
9	7			3			2	6
2	3		6		5		1	9
		5	9		8	2		
8	9		2		3		4	5
7	5			8			6	2
	1			2			5	
		9	5		1	7		

64

	6	8			9	3	7	
	1		4	8	5		6	
		2			6			5
9			5			7		
	2	5				6	8	
		4			1			2
7			1			4		
	3		7	2	4		5	
	4	1	6			9	3	

65

	4	6		9		3	2	
					8			7
9		5	3	1		4		
	3				1	6	7	4
	5						9	
6	1	8	4				3	
		2		6	7	8		3
1			9					
	6	7		5		2	1	

66

7			5			3		
	2		3	9	6		5	
9	5		1				4	8
6			2			7		
3	7						9	5
		1			3			4
2	6				5		8	1
	8		6	7	4		3	
		4			2			6

67

7				4				8
2		9		6		4		5
	8		2		1		9	
1		4	3		9	2		6
	2		7		4		3	
8		3	6		2	7		4
	5		1		3		4	
9		2		7		5		3
3				2				1

68

	7			3	5	1	2	
			6			5	4	8
	9	8		2				3
4			2	1				
9		1				3		7
				9	3			4
2				8		6	7	
1	8	5			7			
	6	3	4	5			9	

69

5	7	1		8		9		
				4	7	3		
			5			6		
8	3		4		5		7	9
	4	2				5	1	
1	9		8		2		3	6
		8			9			
		3	7	2				
		7		6		1	9	2

70

6	5				4			7
		2				8	4	9
	1			2	7			
		7		4	1	5	9	
	2		6		9		8	
	6	1	5	3		4		
			4	5			1	
1	8	3				2		
7			8				6	3

71

4	8	9					3	
			1	6				9
		2	4			8		5
5	9		6	8			1	
3			5		7			4
	2			1	9		6	7
6		5			1	2		
9				3	2			
	3					7	4	1

72

	5					1		8
			5	9	2			
4	7			8		9	3	
6	8	3			7			4
		5	9		3	8		
7			8			2	1	3
	4	9		7			5	2
			3	6	9			
1		8					7	

73

			7				4	
6		4		8		1		9
2	5			1	9			6
1	3	9			4	5		
		7				8		
		5	3			4	1	2
3			5	4			7	8
5		6		7		3		1
	9				2			

74

	3		5	4				8
					9	7	2	6
9		6	7			3		
		1		6			7	3
		5	8		4	2		
6	8			1		5		
		4			1	9		7
1	5	3	6					
2				8	3		1	

75

	3	4	5		1	2	8	
6				2				5
		5	9		7	4		
8			7	5	6			2
	5	1				9	7	
7			1	9	2			8
		6	2		5	7		
3				7				4
	9	7	3		8	6	2	

76

		8		2				7
5			7		3		6	
6	2		5		4		1	
9		5			8		3	
	7			4			2	
	4		6			7		1
	8		4		5		7	9
	6		9		2			8
3				1		6		

77

	8		6		3	2	4	
	2		5		1	6		
		5		4				9
	1				9	7		6
	4			3			5	
5		8	2				3	
2				8		1		
		9	7		4		2	
	5	7	3		6		9	

78

	8		9	7		1	4	
	2				8	9		3
1					6	7		
		2		4			9	1
4			8		9			6
7	5			6		8		
		3	5					9
6		8	1				5	
	1	5		3	7		2	

79

4				3				8
	5	7	8		1	3	9	
		3	5		2	7		
5			3	2	7			1
	3	9				6	2	
1			6	9	5			3
		4	9		3	2		
	1	5	2		6	4	8	
2				5				7

80

9			5	1	6			4
4		1			3	7		8
		2			4		6	
	3		6			8		
2		6				4		1
		5			9		2	
	8		9			5		
5		9	4			3		7
7			8	2	5			6

81

4			3				7	5
		9		1	7		4	
	2	8			9			6
			2	6		5	1	4
	3						8	
6	4	1		9	5			
9			5			2	6	
	8		7	2		3		
1	6				8			7

82

					8		3	
	1				9	6		8
6		3	2	7		5		
9		2	6			8		7
	4			2			5	
5		8			3	2		1
		7		5	1	4		6
3		9	4				7	
	6		7					

83

		6		1	7		8	4
5		4			2			
	7				8	5	2	
	1		6			3		9
2			8		5			6
9		5			3		4	
	3	8	7				9	
			3			6		1
7	9		2	4		8		

84

	6		3				8	
3	9	8				5	7	6
		4	5	8		2		
	7		4			3		
9			6		2			7
		1			8		5	
		3		1	9	7		
6	2	7				9	1	5
	4				5		2	

85

5		2			7		9	
3					1	8		
8	6		5	3			7	
7				1		3	4	
		1	7		5	6		
	5	8		6				9
	9			2	3		8	4
		5	4					2
	4		8			1		7

86

6	7	2				9	8	1
	8		2				4	
1			6	7				3
	2		5					7
		1	8		9	6		
3					4		1	
8				5	2			4
	5				3		9	
2	1	9				3	6	5

87

		8			1	6	5	
2	7				6			
	5			3	9	8		1
		3	6				4	8
7			4		5			9
8	6				7	2		
3		5	1	2			7	
			9				3	4
	4	9	5			1		

88

		3	6				9	
2			3	5	9			4
9	6		7				8	2
		8	4				3	
5	4						7	1
	9				6	5		
7	1				8		2	3
6			9	1	4			7
	5				7	4		

89

		8		2		5		
5		6			3	7		9
	9	1	6			2	8	
2	4			1	7			
3								7
			9	8			5	4
	1	3			4	6	7	
6		2	5			4		1
		4		6		8		

90

7			8			5		9
3		8	1	2				
		2	7		6			1
	9		2	3			7	
2	3						4	5
	1			7	5		3	
6			5		4	8		
				9	7	2		3
5		9			2			6

91

	6	7			5		3	
4						5	2	6
		2		9	1			
9		8	2	1				3
		5	8		7	4		
1				6	9	7		2
			3	4		2		
5	8	1						4
	3		1			9	7	

92

8	3					1		2
				3	1	4	9	
	7			9		5		6
		3			9			5
5	4		6		8		2	9
1			2			7		
9		5		6			4	
	2	6	1	8				
7		4					8	3

93

		7	4			5		6
			1	8				2
4	5	2					9	
6	2		8	5			1	
9			6		3			4
	7			1	2		8	3
	9					3	4	1
2				9	7			
8		6			1	7		

94

		1	6					
8				4	5	7		2
5	9			7			8	3
3	1	8	4				5	
	7						2	
	5				8	3	4	6
9	4			2			3	1
6		5	1	3				9
					7	4		

95

3	6		2				5	1
5				1				8
2		8			7	6		9
	4	1		3	9			
		7				9		
			6	5		4	8	
1		2	8			3		4
4				2				5
7	3				4		9	2

96

1			8	9	6			2
		8	5				6	
6	5		3				7	1
	6				5	9		
9	2						3	4
		7	2				8	
3	4				7		1	8
	9				3	2		
5			6	4	2			3

97

		1	9		8	5		
	4			7			6	
3			6		1			8
4	7						1	3
		9				4		
8	2						9	7
6			5		7			2
	8			6			4	
		2	4		3	8		

98

8								7
			5			2		
1				4	2			3
				6			7	2
6	7		3		8		5	1
9	8			5				
4			2	3				9
		6			4			
3								5

99

2		1	4				8	
	9					1	4	
		3		7				6
			7				5	1
8	6				5			
5				2		3		
	4	6					1	
	2				8	9		5

100

7	5		2		1			
		3		8				
9	8		6		7			
5	2		9		4		3	
		9				2		
	3		1		8		4	5
			8		5		7	2
				7		8		
			3		2		6	4

101

	3	6	7		4	9	1	
			1	3	6			
	2						3	
	9	8	5		3	4	6	
		4				1		
	6	1	4		9	8	5	
	7						9	
			9	4	8			
	8	9	2		7	3	4	

102

	1						3	
9		2				8		4
3			9		4			7
		6		2		4		
8			6		3			9
		4		1		5		
5			4		6			2
6		8				7		5
	2						4	

103

9	2					5		
4			3				8	
		7	5			6		4
			8					3
	1						4	
6					1			
3		6			8	9		
	5				9			8
		9					2	7

104

	7				9		8	
						2		4
				8	2	1		6
					3		5	
		1		2		8		
	4		7					
2		6	9	1				
4		5						
	1		4				3	

105

		5				8		
9			3		8			5
3	2						6	9
	3			5			8	
2			1		3			7
	8			4			9	
7	5						2	8
1			8		7			6
		4				1		

106

			9	7		1		
4	6	1		2		8		
					4	3		
	1							3
	2	5				4	7	
9							1	
		2	5					
		8		3		9	6	5
		9		8	1			

107

			4	6			3	
8	4		7					9
9	3							6
	5		6					
	8	9				6	2	
					7		9	
6							7	4
5					6		8	2
	1			4	3			

108

	5		2					
		2		8	9	4		
		8				7		
6		4		7				
1		5	6		8	3		7
				5		9		1
		6				1		
		3	9	2		8		
					7		9	

109

2	6			5			9	1
	7	4				3	6	
		2	6		3	9		
	3						8	
		5	8		1	6		
	1	8				4	2	
5	4			6			3	9

110

4								6
	8		7		3		5	
		3	1		6	9		
1			3	9	2			8
	9						2	
3			5	7	8			1
		1	2		7	6		
	4		8		9		7	
7								5

111

	8	6		9		2	5	
		5	1		4	3		
	4						1	
			2		9			
	1						8	
			3		8			
	2						7	
		9	8		7	5		
	7	8		3		4	9	

112

		3	9		4	2		
8		9		5		6		1
	8	2				1	3	
3	4						6	9
	9	1				5	7	
2		4		1		7		5
		7	2		8	9		

113

4			7		6			8
2	8			9			3	5
	6						7	
			3		4			
	3						6	
			9		2			
	1						2	
7	9			4			1	3
8			1		3			9

114

		8	4		7	3		
3		1				9		5
9								4
	7		1	8	3		6	
	9		2	6	5		4	
1								6
7		9				5		8
		4	9		2	7		

115

6				1				4
			6	8	7			
7		1	4		5	3		8
		7				4		
2								5
		8				6		
9		4	5		2	7		3
			1	9	3			
5				7				2

116

	2	1		5		4	3	
		6	4		1	2		
7								1
	1			7			9	
			8		3			
	5			9			1	
8								3
		3	1		9	6		
	7	5		6		9	4	

117

							8	
			8	5			1	2
		3	6					
		7			3	8		9
	1			8			5	
2		8	9			4		
					7	9		
8	2			1	6			
	4							

118

	4		5		3		8	
		1				4		
6	5						3	2
3				1				9
	2		7		4		5	
7				6				3
2	7						9	8
		6				3		
	9		3		7		6	

119

		9	7		8	5		
	7		4		1		2	
1								7
5	3		2		6		4	1
6	4		1		3		9	5
2								8
	8		5		9		6	
		6	3		7	4		

120

					2			1
		4	9	1			7	
	6	9		7				
5					3			
		7		4		9		
			1					8
				9		6	4	
	2			3	6	5		
3			8					

121

6		4		8	3		2	
9		8				3		7
				9				
			1			7	6	
	7						4	
	4	1			7			
				7				
7		9				5		4
	6		9	5		8		1

122

8			4		1			6
		7		3		8		
	4						1	
	9	4	7		5	3	6	
			6		3			
	1	6	2		4	7	5	
	3						9	
		2		5		6		
9			1		7			2

123

	1	4	2		3			
	2	7	9		5			
8				4				
		8	4		9	6	7	
1								5
	7	5	6		1	8		
				2				4
			5		8	3	6	
			7		4	2	5	

124

	3		5	7			1	
	7						9	
		2			3			
8	1			9				
4	2		7		8		6	9
				2			5	4
			9			5		
	8						4	
	6			3	5		7	

125

	9	2				5	8	
1		8		6		4		7
	1		9		2		6	
		4				9		
	5		6		4		7	
5		6		1		7		2
	8	3				6	4	

126

							3	
		2	9					
			3	6			7	8
		4			2	3		1
	7			3			6	
8		3	1			5		
3	8			7	9			
					4	1		
	5							

127

9					1	4	5	
	5			9		2		
8		7						6
			3				6	5
7	1				5			
4						6		8
		2		3			7	
	9	6	8					1

128

		9				3		
1	2						8	6
	3		2		8		4	
5				1				8
	6		5		3		2	
8				9				7
	7		8		5		1	
6	5						7	4
		1				8		

129

			5	6	8			
2				4				9
5		4	2		9	1		6
		7				3		
9								2
		1				4		
3		5	9		1	8		4
1				8				7
			4	3	7			

130

		7	1		5	3		
1			3		2			4
	2			9			6	
9	5						8	1
		6				5		
4	3						9	6
	6			2			1	
8			9		7			2
		1	4		6	8		

131

1								2
			9	2	5			
2		9	6		4	8		5
8		7	2		3	6		9
		6				5		
9		5	8		6	7		3
7		8	4		1	2		6
			7	6	8			
4								8

132

9	1						3	
	4		1			2		9
		6		8				5
					7	4	6	
	7	9	8					
5				2		7		
3		7			4		2	
	9						1	6

133

				2				
3		9				2		7
	6		3	7		1		4
9	1				5			
	4						9	
			9				4	5
7		5		8	2		1	
8		4				9		2
				9				

134

	7						5	
	2		1		9		7	
9		1				6		3
		7		6		3		
	6		5		3		4	
		5		4		8		
5		4				2		9
	8		9		2		1	
	3						8	

135

7	6		1		8		5	4
9								7
			4	7	6			
5	2		3		7		8	6
	8						4	
6	4		8		5		2	3
			5	8	2			
1								5
2	5		9		1		7	8

136

6	3					9		
	4				9			7
		9			4	8	5	
	5		4					
1								2
					2		8	
	1	8	7			3		
4			5				1	
		7					9	6

137

			3				8	
				7			3	6
		9	8		4			
	8	5	2					
	1			8			7	
					9	4	5	
			6		8	2		
8	7			1				
	3				2			

138

	1	6				5	3	
	2		3		1		4	
4								8
		1		5		7		
	3		7		4		6	
		9		8		1		
1								5
	5		1		7		9	
	9	2				6	7	

139

					3			4
	7						1	
	9		4	5			6	
	2	7		3				
	8	1	7		6	3	9	
				8		1	4	
	5			6	4		2	
	6						3	
8			5					

140

9			1		6			4
	4						2	
6		8		9		5		3
		6		5		1		
			2		4			
		1		6		3		
8		4		3		7		1
	1						5	
7			8		1			9

141

				1		2		
			3		2		4	5
			4				6	1
5	2		1		9		3	7
		6				5		
4	3		8		5		9	6
3	8				4			
6	7		2		8			
		5		3				

142

6		9		2				
7		5						
	2		7				4	
					3	5	1	
		2		5		8		
	7	1	4					
	3				6		8	
						9		7
				8		2		5

143

	2		5		1		8	
9				3				2
		8				4		
4		9	3		5	8		6
			4		9			
5		3	6		2	1		9
		1				6		
7				4				5
	9		1		6		7	

144

			1	7				2
4	1	9		6				3
					9			5
	3					5		
8	7						4	9
		6					1	
6			3					
1				5		8	3	4
2				8	1			

145

		7		8				
6	9		3		4			
8	4		7		5			
9	5		2		7			3
		4				1		
3			1		9		5	4
			6		8		1	7
			4		2		8	5
				7		3		

146

				7		3		
			8		3		2	7
			2		1		4	9
1			3		6		8	4
		5				2		
2	8		4		5			1
8	7		6		2			
3	5		7		9			
		1		3				

147

	6		5	3	4		9	
	5	9	7		1	6	3	
4	8		6		9		5	7
5								6
9	2		1		5		8	3
	4	8	9		7	2	6	
	9		4	5	3		7	

148

			4		2			
	6	2				1	8	
1		4				3		2
	7		3		9		4	
			8		5			
	2		1		7		6	
5		8				9		6
	4	9				2	3	
			5		6			

149

	1		6		9		2	
		7	3		4	5		
8				2				7
6		1				8		2
	3						1	
7		9				3		4
9				6				5
		4	7		2	1		
	2		5		3		7	

150

		4			8			
			9		2		8	
2		1		5				
					7	6	3	
		5		2		1		
	6	2	8					
				1		4		9
	7		2		3			
			4			2		

151

	7		3				8	2
1		5					3	
2			4			6		
8					9			
		9				2		
			6					4
		3			1			6
	1					5		7
4	8				6		1	

152

	3				9			1
1		6			2	5		
		2					7	4
9					3			
	1						8	
			8					6
5	7					4		
		4	3			6		9
3			4				2	

153

9					1			
				7	4	8	3	
						6		
6			9				8	3
		5		3		7		
3	9				2			1
		3						
	8	7	3	5				
			4					2

154

9			8		6			2
	4			2			1	
		1	7		5	3		
	1	8				5	7	
5								9
	6	9				4	2	
		7	2		1	9		
	8			6			3	
2			5		3			1

155

			6	8	2			
8		5	3		1	4		2
3				4				6
		6				8		
1								7
		3				2		
7				2				1
5		2	1		7	3		9
			4	9	5			

156

6			1		2			9
		3	8		6	5		
	1						6	
7	5		4		9		1	2
2	4		7		1		5	3
	9						8	
		4	6		7	2		
8			3		5			4

157

	2	4		5	7			
5					1			8
	3	7						
			8					3
		5		7		4		
9					6			
						9	3	
6			3					4
			1	4		2	7	

158

	1				7			
		8	3	1				5
				2		6		3
	5		1					
4				6				2
					9		7	
2		3		4				
6				9	2	4		
			8				9	

159

		2		6		4		
1								7
	9		1		7		2	
5		4	7		8	9		1
			6		9			
9		6	5		4	7		3
	8		4		1		3	
3								6
		9		5		8		

160

2	1						9	8
			8		6			
5		8				2		6
	9		7		2		8	
			3		1			
	6		4		5		7	
4		9				3		1
			9		3			
8	5						6	4

161

			4		3	2		5
			1		9	3		7
				5			6	
6			2		8	7		1
	1						2	
8		7	9		5			6
	5			3				
4		8	6		1			
3		1	5		7			

162

	6						1	
7		5				9		4
		1	9		6	5		
5				8				6
		2	3		9	4		
6				1				9
		7	6		2	3		
4		6				2		1
	3						8	

163

1								3
5			9		7			1
	7	9				4	2	
		1		4		2		
4			3		2			6
		3		6		8		
	3	6				5	7	
8			7		5			9
2								8

164

3			8			2	1	
8	1							4
		7		6			5	
9		1	6					
					9	3		7
	5			2		9		
1							7	8
	4	9			3			2

165

	9	6		7		2	3	
8		1				5		6
9			8		1			7
		2				8		
5			7		2			3
6		4				7		2
	5	7		9		3	1	

166

	4	9		1				
		5					2	
					7			3
7					3		1	
	8	1		5		2	3	
	9		8					6
8			4					
	6					9		
				2		1	5	

167

		1						
	4	5	1	6				
			7					3
8			9				4	1
		6		1		5		
1	9				3			2
9					2			
				5	7	4	1	
						8		

168

6	5						4	8
		3				1		
		1	4		8	7		
9				2				3
		2	5		3	6		
5				6				1
		8	7		4	9		
		9				5		
7	4						3	2

169

				3				
8		7	4	5			2	
5		9				3		4
3	2		7					
	9						3	
					3		9	7
1		3				4		8
	6			8	1	2		9
				4				

170

7	5			3			1	4
	8		1		4		7	
4								6
			3		1			
1								2
			6		7			
2								5
	3		2		5		8	
8	6			7			9	1

171

		9			3		1	
	6	4						3
3					9	7		2
		7	9					
	5						8	
					8	2		
2		5	1					4
1						3	6	
	9		7			5		

172

	1		9			6		
8					4		1	7
			8			9		
			1	7			6	9
9	3			8	5			
		5			1			
2	7		4					6
		6			8		5	

173

8			6		7			3
	1						6	
		6	5		1	9		
	3	4	9		2	5	1	
	2	5	1		4	8	3	
		7	3		8	2		
	9						7	
2			4		6			5

174

7		3		6				
					8		4	
		9						2
3			5				1	
5		6		9		2		4
	8				4			6
1						3		
	5		7					
				2		6		9

175

	9		3		6		7	
		6				1		
8	3			4			6	9
5				1				6
			2		8			
6				5				4
3	5			7			4	1
		8				2		
	7		6		5		8	

176

	1		6		8		5	
		6				2		
3	8			7			6	1
6				9				7
			3		4			
9				2				6
8	9			5			7	2
		3				4		
	5		9		6		3	

177

				3	2			9
9	5	7		6				3
			5					1
	6					2		
4		8				1		5
		2					9	
6					4			
3				1		7	4	2
2			9	8				

178

		3		6	5			
		7		9		3	4	1
		8	1					
8							3	
	6	1				2	9	
	3							5
					2	9		
2	4	5		8		7		
			3	7		5		

179

	4		8	6	2		3	
9	2		3		4		7	1
	1	4	6		5	8	9	
		6				7		
	9	2	4		7	3	6	
4	6		5		3		8	7
	7		2	8	6		4	

180

	8						7	
	1		6	3			2	
					4			6
	5	8		4				
	9	7	8		2	4	1	
				9		7	6	
9			3					
	3			2	6		5	
	2						4	

181

2								9
	6		8		7		1	
		7	3		9	4		
3			7	4	5			6
	4						5	
7			1	8	6			3
		3	5		8	9		
	2		6		4		8	
8								1

182

			7		8	3		
	1				3			
8	4			2				
	8	6	3					
	2			8			4	
					5	9	6	
				4			1	7
			1				8	
		5	8		9			

183

		3		5		6		
9			8		7			5
	6		1		4		2	
	9	7				5	3	
4								9
	8	6				1	4	
	1		5		6		9	
5			4		2			6
		8		7		2		

184

1			4					
	7			1	2	6		
				5		2	3	
6					1			
		9		3		5		
			8					4
	2	5		9				
		3	5	8			9	
					7			8

185

				7	4	5		
			2			8		
6	2	5		9		1		
5							8	
9		3				2		7
	4							5
		1		8		4	3	6
		9			3			
		4	5	1				

186

5								4
		9			2			
2			8	5				7
7	1			4				
9	3		5		1		4	6
				9			3	8
6				2	8			5
			4			8		
1								3

187

6			8		9			2
	8						3	
		7	4		3	8		
	6	2	3		5	4	1	
	3	4	7		1	5	6	
		1	6		2	9		
	9						7	
4			5		8			1

188

3		8		9		7		1
9			3		5			4
	4						6	
		3		7		5		
			4		6			
		5		3		1		
	5						7	
2			5		8			9
8		4		1		2		5

189

				1				
6			7		2			5
	2		4		5		8	
9	7		1		6		4	8
		2		3		1		
8	4		9		7		5	6
	9		5		1		3	
7			3		9			4
				7				

190

2	1						7	8
		5	7		8	6		
		9				5		
4				3				9
		3	1		9	2		
1				2				5
		4				1		
		8	6		7	4		
6	7						9	3

191

	4		2		7		9	
	2	3				5	7	
9								8
		1		8		2		
	7		9		6		3	
		2		5		6		
2								5
	1	4				3	6	
	5		6		2		1	

192

	2	6		7				
			5					3
	8					1		
5			3			7		
	7	9		8		3	1	
		2			9			4
		4					2	
9					6			
				1		8	7	

193

	6	4			2			
9				6				
	3	2	9		1			
	4	7	3		5	1	2	
3								4
	8	1	7		6	9	3	
			5		9	8	4	
				1				3
			2			5	1	

194

3		1		4	6			
					2		5	
		7						
	2				8		3	5
		4		3		9		
1	3		5				7	
						3		
	8		6					
			3	9		4		1

195

			3		5	1	4	
			7		6	9	3	
				1				8
		8	2		4	6	9	
6								4
	9	2	1		7	8		
1				3				
	2	5	6		8			
	6	3	9		1			

196

			1				5	
3								4
2				4	6			1
6		7		5				
8		3	9		4	7		5
				3		9		2
4			6	1				8
7								9
	6				3			

197

	9				1		3	
2		1						
8		6		9	4			
			3				2	
9				6				7
	1				5			
			6	7		8		9
						1		6
	5		4				7	

198

							9	6
				2			1	8
		7			4	2		
					7	5	8	
	1			8			2	
	5	6	3					
		1	6			3		
4	9			1				
6	8							

199

		5			8	3		
				3			2	1
							7	8
	7	4	6					
	9			7			3	
					5	8	4	
8	2							
7	3			9				
		9	1			6		

200

8								6
	9		5		4		8	
		1	3		8	2		
1			7	4	3			5
	4						3	
7			6	8	5			1
		7	1		2	4		
	5		8		7		6	
9								2

201

		3	1		7	4		
	1						5	
8			4		2			9
	9		6	3	4		7	
6								3
	7		9	2	8		4	
2			3		9			5
	8						2	
		1	2		6	7		

202

6		2				1		4
				4				
9		5	1	2			3	
	3	4	9					
	6						4	
					4	9	6	
	8			5	7	6		3
				1				
4		7				5		1

203

	6		3		9		1	
9	3			5			8	6
7								9
			7		6			
2								3
			5		3			
8								2
3	4			6			7	1
	1		2		8		5	

204

				6	7		9	
			8				2	
8	1	7		4			5	
4						7		
	3	6				1	8	
		5						2
	7			2		5	1	3
	4				5			
	9		7	3				

205

				3				
	5	4				9	3	
	7	8		4	9			2
			3			7		5
5								3
2		3			7			
1			6	8		5	2	
	3	6				8	9	
				9				

206

6		7	8		1	3		5
1				3				8
			5	6	4			
		2				9		
8								1
		3				7		
			3	2	9			
9				4				7
3		4	1		7	5		2

207

	2	5		6		1	4	
		9	4		7	5		
8		6				4		7
3	9						8	1
5		2				6		9
		4	9		1	8		
	6	3		2		9	7	

208

		6						1
3		2		8				
					4		9	
	4				9			8
5		8		6		1		9
2			5				7	
	5		3					
				1		8		6
7						2		

209

	4	2				8	3	
		3	8		1	5		
	9						6	
9			6	4	7			3
5			1	9	2			8
	5						8	
		7	5		3	4		
	2	8				6	7	

210

		6				3		
3			6		2			7
7	9						1	2
	6			3			2	
8			2		4			1
	7			5			6	
6	1						3	8
9			8		6			4
		4				5		

211

7	9		2					3
		6	3				2	
3						1	4	
					2		9	
		5				8		
	7		5					
	3	1						6
	8				9	2		
4					6		8	7

212

		5				9		
	2		5		6		4	
3			7		9			5
4		2	9		8	1		7
7		9	3		1	2		8
1			2		4			6
	7		8		5		1	
		6				3		

213

				7				
	2		3		4		1	
9			2		5			3
2	1		4		8		9	5
		7		6		3		
5	9		1		7		8	4
6			7		2			8
	5		8		6		4	
				4				

214

				7	3		6	
	4	7				9		
	5	2			9	8		
	1				4			
9	2						5	1
			9				8	
		1	4			5	7	
		9				1	3	
	3		7	9				

215

			9				7	
				3	6		8	
4	8	9		2			1	
8						7		
2	5						9	3
		6						8
	1			7		5	6	4
	6		8	1				
	2				5			

216

		3		5		8		
8			9		6			4
	9						6	
	1	9	3		7	5	4	
			4		5			
	6	4	2		9	3	7	
	5						1	
1			6		3			2
		2		7		4		

217

				3		9	7	
			7				6	
8			6		4			
					8		1	4
	5			6			3	
1	6		2					
			9		6			2
	7				2			
	3	6		5				

218

				9	6	4		
			3			2		
9	3	8			1	6		
	6							2
	8	7				9	5	
1							3	
		3		2		8	6	7
		1			7			
		4	6	5				

219

	4						2	
		6	7		3	9		
2			8		5			6
3	5		6		4		1	9
9	6		3		1		5	8
7			1		9			4
		8	2		7	5		
	1						7	

220

	1			4			3	
		6	1		2	8		
9			5		6			2
	5	4				6	7	
3								5
	2	8				3	4	
6			3		8			7
		7	9		4	1		
	3			1			6	

221

		6				7		
	7	4	6		2	9	3	
			4	9	7			
	4	7	3		1	8	9	
	9						5	
	5	8	7		9	1	4	
			8	3	5			
	8	3	9		6	5	7	
		2				3		

222

		2	4		8	1		
1								5
	3	8				4	6	
	8			6			7	
		4	7		1	3		
	9			5			8	
	2	9				7	3	
8								6
		6	8		7	9		

223

			2	7	1			
9				8				5
7		4	5		9	8		2
		3				6		
5								9
		8				4		
8		1	9		4	2		3
6				1				4
			8	3	6			

224

3				5				2
	5		7		9		8	
		8	2		1	3		
8	3						9	6
		6				2		
9	2						1	4
		4	6		3	7		
	1		5		4		3	
2				9				5

225

				2	6			
						8		
6	1			8	5		4	9
		7		9			3	
	4		8		7		9	
	3			6		4		
2	9		3	1			5	7
		3						
			2	7				

226

	1	8		2	9			
	9	5						
2					6			7
			7					5
	2			9			1	
4					3			
3			5					1
						5	4	
			6	1		9	8	

227

9		2	8		1	6		5
		1		5		7		
			6	2	7			
1								6
		8				3		
7								2
			9	4	5			
		3		6		8		
6		9	3		8	4		1

228

5					6			
				2		7	4	
		2	4	5			1	
9			5					
	4			1			2	
					3			8
	8			3	7	6		
	7	1		4				
			9					3

229

	8				1			
				9	5	4		2
								3
	4	8			7		1	
6				4				9
	3		8			2	4	
4								
9		2	4	6				
			5				7	

230

			6					
	5		9	1		3		8
9		6				7		1
			3				5	6
	6						7	
3	7				6			
8		9				6		4
7		5		8	4		2	
			9					

231

3			8		2			4
		2				1		
1		6				3		7
	9		3	4	7		8	
	2		6	9	5		1	
6		4				8		1
		9				7		
8			5		1			2

232

			6	4	8			
	1						4	
	4	8	2		7	3	6	
	8	6	7		3	5	9	
		7				6		
	3	5	9		4	7	8	
	5	3	1		2	4	7	
	2						3	
			3	7	5			

233

	3		6		9		7	
				7				
9			1		5			6
5	4		7		6		8	3
		1		9		2		
3	8		4		1		6	7
8			5		3			2
				1				
	5		2		7		4	

234

		7		1	9	8		
		2				5		
			4					9
				3		9	5	
	5	3	8		2	7	4	
	2	6		4				
3					1			
		8				4		
		1	9	8		6		

235

	6			5				
7		8	1		3			
5		1	9		6			
8		9	6		2			3
	1						4	
3			8		4	9		1
			5		7	4		6
			2		1	5		9
				6			3	

236

	5						1	
9		3		2		4		7
		1	4		8	2		
8				9				4
			1		5			
3				4				8
		2	8		7	6		
6		8		3		7		1
	9						8	

237

	7			1			3	
9			4		2			5
		8	3		9	2		
	1	7				8	9	
4								7
	6	2				1	4	
		3	5		1	6		
6			7		8			2
	2			3			7	

238

	8	5	3		4	6	2	
	3		8	7	9		4	
3	6		1		7		5	9
7								2
8	5		2		3		7	4
	2		7	9	8		3	
	7	3	4		1	2	9	

239

1								3
	5		3		6		4	
		3	7		2	8		
2			6	7	9			4
		6				7		
4			2	3	1			9
		1	9		3	2		
	7		5		4		9	
5								8

240

7					5	2	9	
		2		7			3	
1	4							8
			6			8		2
4		5			2			
9							8	1
	3			6		4		
	8	7	1					5

241

	2	7	1		5			
	5	9	8		6			
4				7				
		4	6		7	3	9	
2								8
	9	8	2		3	4		
				5				7
			4		8	1	3	
			7		9	5	8	

242

	7		9	5		8		
					3			5
	9	6		1				
3					2			
	1			6			4	
			5					7
				4		9	1	
2			8					
		4		2	1		6	

243

5								4
	1		7		4		9	
9	6						5	2
		5	2	8	3	4		
		7	9	1	6	8		
7	5						2	1
	4		3		5		7	
6								8

244

2	5						7	9
		1		9	2		3	4
				5				
3		7	5					
		5				7		
					3	1		5
				2				
7	1		8	4		6		
4	2						5	8

245

2		4		8		3		9
	6	5				4	1	
	2		4		1		3	
		1				7		
	8		7		9		4	
	7	9				2	6	
8		6		4		1		3

246

			8					4
6	5	8		2				7
				7	1			6
	1					6		
3	9						4	8
		2					1	
1			6	9				
7				4		3	5	1
2					3			

247

		6	4		1	3		
3								7
	8	1		6		9	5	
	4			1			9	
			7		3			
	1			5			4	
	3	8		9		4	2	
4								5
		2	8		4	6		

248

			7	9	6			
2	9		1		5		6	7
	7						5	
9	8		3		2		7	6
4								9
6	3		9		7		8	4
	2						1	
7	4		5		9		2	8
			4	2	8			

249

3				6				4
	2		5		4		3	
		6	8		7	2		
2		3				8		9
	9						4	
8		4				5		1
		5	1		6	3		
	1		3		9		7	
4				8				6

250

7		5	3		4	1		2
		3	5	8	6	4		
	3	2	9		8	7	6	
	8						1	
	5	7	1		3	8	4	
		1	8	6	5	3		
3		8	4		9	6		1

251

	3	8					1	
4				7		2		
	9				3	8		6
			5				4	9
8	5				7			
5		1	9				6	
		2		6				5
	8					4	3	

252

						8		2
				3		5		6
	9		7				3	
			9				1	5
6				5				3
1	8				4			
	6				8		4	
2		7		6				
5		8						

253

				2			8	5
		3	4		8			
					3			6
			3			9		8
5				8				2
9		1			7			
8			6					
			8		1	7		
6	4			5				

254

		2	8		7	6		
		6				3		
8	7						9	4
	6			9			4	
		9	4		3	1		
	3			1			5	
3	1						2	8
		4				5		
		5	2		8	7		

255

	2			4	8		9	
6			2					
	4						5	
	9	7		5				
	6	3	7		4	5	1	
				6		3	8	
	7						3	
					5			8
	1		8	2			4	

256

4	3						8	9
			9		3			
	9	6				2	4	
		1	7		8	3		
		5		2				
		9	1		4	6		
	7	3				8	9	
			6		5			
5	2						7	6

257

			6		8		3	9
				2		5		
			4		9		2	1
	5		1		7		6	3
		6				1		
3	7		8		2		5	
6	9		2		3			
		2		9				
7	4		5		6			

258

	1		8		3		4	
8								2
	3	9		6		1	8	
		7		2		8		
			9		5			
		8		7		6		
	7	3		4		2	6	
9								5
	4		7		8		9	

259

3	5						1	8
	8		9		4		2	
9								5
		7	1	2	8	4		
		9	6	7	3	5		
7								1
	4		5		6		9	
2	3						5	4

260

1			2		9			8
	3						1	
9		5				6		2
		2		3		4		
6			1		7			9
		7		5		2		
7		6				8		4
	5						2	
4			7		2			5

261

	7		3		8		6	
5			7		2			4
		9				7		
		8	2	3	1	4		
	2						3	
		4	8	7	9	1		
		5				6		
3			5		4			1
	9		1		7		8	

262

			2					4
	5					9		
	8	6		1				
2			4			1		
	1	3		5		4	9	
		8			3			7
				9		5	1	
		7					8	
3					6			

263

			6	7	5			
	7	8	4		1	3	5	
	4			3			6	
		6				7		
	1						2	
		4				5		
	2			5			1	
	8	5	1		2	4	9	
			3	9	8			

264

8						6		7
	1	6			7			9
		2		4			5	
					4		6	3
5	9		3					
	3			1		2		
1			9			8	3	
7		5						6

265

		2		7	5		4	3
8	5						7	1
				8				
	3	1	8					
		8				1		
					3	2	8	
				5				
5	4						6	8
2	1		6	4		9		

266

				1		6	9	
7			3					
		5					4	
		4	7					5
	9	7		6		2	1	
8					2	9		
	6					1		
					8			2
	4	3		9				

267

9	2			5			8	4
7		3				9		6
		6	5		4	8		
4								3
		2	3		7	5		
1		9				4		5
5	6			2			7	8

268

	1						8	
2			9		6			3
		7	4		1	6		
	4		2	9	3		6	
5								7
	3		6	7	5		4	
		1	5		9	4		
9			3		7			8
	2						9	

269

		5				8		
6			9		8			5
9	4						7	6
	8			3			6	
4			1		9			2
	9			5			8	
2	5						4	8
1			8		2			7
		3				1		

270

						5		
				6	5	8	2	
1					7			
4			1				3	5
		8		5		6		
5	2				3			9
			4					3
	5	2	7	8				
		9						

271

2			7		9			1
		1				9		
	5		1		4		3	
7		9	2		8	5		6
3		5	9		6	8		7
	7		6		1		8	
		4				2		
8			5		3			4

272

		3	1		8	5		
6			7		4			9
	2			9			3	
	3	7				8	1	
8								6
	4	6				2	9	
	7			4			5	
9			8		5			3
		1	9		3	6		

273

	4		3		1		6	
		8	2		7	5		
1								2
6		3	5		9	7		4
4		2	8		3	1		9
7								5
		4	9		2	6		
	3		1		5		8	

274

	3						5	
5			4		3			9
9		8				1		4
		9		2		3		
7			6		4			1
		3		5		4		
3		1				5		7
8			3		7			6
	6						2	

275

	3				7			
		2				9		
		8	3	1		5		
2		3		6				
7		5	9		8	6		2
				7		4		9
		4		8	3	1		
		7				8		
			1				6	

276

		6	7		8	2		
8			5		2			9
				1				
5		9	4		7	6		2
	8			3			1	
7		4	1		6	9		5
				7				
4			2		1			3
		7	3		4	5		

277

	1		2		8		4	
8			5		1			6
				4				
9	3		1		7		2	8
		8		9		7		
1	7		8		6		3	4
				7				
2			6		5			3
	9		3		2		5	

278

	5	9				1	6	
	8	2	1	9				7
				6				
					6	8		5
5								6
7		6	8					
				1				
4				2	3	5	7	
	6	3				2	1	

279

6								9
	5		8		2		4	
		7	1		9	3		
4	7		9		8		6	5
5	2		3		7		1	8
		5	7		1	4		
	3		2		6		9	
1								2

283

280

2		3		6		4		8
	7		4		9		1	
	9						5	
8				3				5
			6		7			
5				9				1
	5						3	
	8		3		2		6	
1		2		7		9		4

281

			3	6		8		4
						3		
	2		1					
	7				2		3	5
		8		3		6		
4	3		5				9	
					7		5	
		9						
3		4		8	1			

282

	7						6	
	1	3		2		8	9	
		9	6		7	5		
			5		1			
	6						1	
			8		2			
		2	1		4	9		
	4	1		5		7	2	
	8						4	

283

8						5		4
		3	9	4				
6			8			1		2
			5			7		
	7	1				2	8	
		6			8			
1		4			5			7
				8	4	9		
7		9						8

284

	2		1		8		5	
		5		7		6		
3								2
1		6	5		9	8		7
			6		3			
2		9	8		7	3		6
9								1
		8		3		4		
	4		9		1		6	

285

			1			5		
6	3			7			8	
	2							7
		4	9		7			
	7			2			3	
			3		5	8		
1							4	
	4			3			6	2
		9			8			

286

		2			7			6
	9		3				4	
	4	5	2					8
						3	2	
8								7
	5	1						
4					8	6	9	
	6				3		8	
2			4			7		

287

	5	1						3
					2			
		2	6	3				
		5		1			7	
	4		8		3		9	
	8			9		3		
				4	6	9		
			7					
4						5	1	

288

1					4	5			
	4							7	
3				1		9	5	8	
4		5				3			
	8							3	
				8			9		6
	7	1		4		6			2
	5							6	
				5	2				8

289

5						6	7	
			9	5			3	
					3			
	5			1		2		
		1	2		5	4		
		8		7			6	
			8					
	1			4	9			
	6	7						4

290

	1							7
			5			9		
8	3			2			1	
		5	6		2			
	2			8			4	
			4		9	1		
	5			4			2	3
		6			7			
4							8	

294

291

9							8	
			7			5		
3	4			6				9
			1		5	9		
6				4				1
		7	2		6			
7				1			3	6
		2			8			
	1							4

292

			5				6	
		4						7
1		3		9		5		
	7		6		3			
		9		1		3		
			9		8		2	
		2		3		4		5
9						1		
	8				2			

293

				7		4		
						6	1	
			5			3		7
	3		1				7	4
1			9		3			2
4	8				6		5	
3		8			9			
	2	1						
		6		8				

294

	3			8	6			
					7			
							4	
9		4						1
8				2				6
5						7		3
	6							
			9					
			4	1			5	

295

	4	9			5			
5				1		4		2
					7	8		
		5	1			7	8	
	9						3	
	8	3			4	6		
		6	8					
8		2		4				3
			3			1	6	

296

	3				2	8	1	
		7		1				6
					4	9		
					6	5		9
	1						7	
7		3	8					
		6	5					
8				3		4		
	7	5	2				6	

297

2		1		7				6
		9	4					
			6			5	1	
		3	1			8	9	
	8						5	
	9	4			7	6		
	3	7			8			
					9	3		
8				1		2		9

298

	9		7				2	4
			6			1		7
4		1		8				
8	3					5		
		4					3	1
				5		9		8
9		5			3			
2	8				1		4	

299

		9		8		3		
2			9					
	7	6	3					9
					7	1	5	
3								8
	6	1	2					
5					6	2	4	
					4			7
		7		9		8		

300

4					2		7		
9	3								8
	1		6						
		3		7		2			
			1		6				
		6		9		5			
					1		7		
2							9	3	
		7		8				4	

301

		1	7		9			
							2	7
5						6		3
				2			9	
		8	1		3	5		
	2			9				
7		6						8
3	1							
			5		4	1		

302

		8			6	3		
	7				2	8		4
	5		1					2
						4		9
	1						7	
6		2						
1					8		2	
5		3	7				8	
		7	6			5		

303

9			4			8		
2			1					4
	1	4						
7					8	3	9	
			2		3			
	3	1	9					7
						4	8	
3					1			5
		9			6			2

304

	3					4	1	
		7	5		6			
							8	7
9				2				
		6	8		7	3		
				9				2
2	1							
			9		1	7		
	8	4					6	

305

					1	3		
	7	4			2			
2				8		7		5
		2	8			1	3	
	4						9	
	3	9			7	6		
3		5		7				9
			9			8	6	
		6	3					

306

					2			
		4					7	
			5	9	6			
							4	8
	1			3			9	
6	2							
			7	4	1			
	5					2		
			8					

307

	1			9	3			
		9				5		
	2		1		8	7		3
			7				4	8
		7				2		
3	9				2			
1		5	9		4		6	
		3				4		
			3	6			7	

308

						4	1	6
			5		3			2
			4	9			5	
			2	7			3	
		8				5		
	7			1	6			
	1			2	4			
9			1		8			
2	8	6						

309

					5		7	
1			8			9		6
		7			3		1	
				3	7	4		2
2		1	5	9				
	1		2			5		
9		5			8			3
	2		3					

310

				9				
	5			2		6		3
9		4				2		
					3	9	5	
	9						7	
	7	3	9					
		6				1		9
5		7		6			8	
				4				

311

		8	2					
	7							4
6				7			5	1
			9		7	3		
1				4				7
		6	1		8			
5	4			1				3
3							2	
					6	9		

312

1		4			9			8
	2	9			6			
				3		4	2	
	5					3		7
7		2					4	
	8	3		5				
			7			8	5	
4			2			1		3

313

4								
			7	4				6
					6		1	3
	8			9		1		
	4		2		3		9	
		5		7			8	
6	2		9					
3				2	5			
								9

314

	6	3						
2		8	5					
		7		8				
	2				3		1	4
3			2		5			6
4	8		7				9	
				1		4		
					9	2		1
						7	3	

315

	3		8		6			
6	7	5						
8				7	9			
			7	1				2
		6				4		
1				8	5			
			9	3				4
						9	5	8
			4		2		7	

316

		2			4			3
	6		7				1	
		4	1				5	6
8	9							
		1				3		
							2	7
9	4				2	1		
	5				7		4	
2			3			6		

317

9							8	6
	2		4		5			
						2		3
				1		7		
	4		2		3		9	
		1		7				
6		7						
			6		1		2	
3	8							4

318

9					5			4
		7			2		6	9
		3	8				2	
							1	6
		8				7		
2	5							
	8				9	2		
4	3		7			9		
7			5					3

319

			4	8			2	
					7		3	8
	7							
		6		7				1
7			2		8			9
1				5		4		
							9	
6	2		3					
	3			9	5			

320

2		8		3		1		
4			9					
			1				2	7
9	4				3			1
	5						7	
6			2				4	5
3	6				5			
					4			6
		5		2		4		8

321

			8	3		4		
8								2
9	6		1		2	3		
			4			2	5	
4								7
	8	1			7			
		7	6		5		8	4
1								9
		6		1	8			

322

					5	7		2
7	4			1			5	
9					8			
3					7	9		6
		6				2		
8		9	1					5
			9					3
	6			7			9	4
1		3	6					

323

			4		7		6	
	5	2				9		
6		3						
				1				8
	9		6		3		4	
1				8				
						2		1
		4				3	5	
	6		2		8			

324

			4	2			1	
						5	9	4
			1		8	3		
	7			9	5			
6								1
			3	7			8	
		2	9		6			
5	6	3						
	9			3	4			

325

8						1		2
					3	4		
	6			9				5
	9			6			1	
			3		4			
	7			2			3	
5				8			6	
		6	4					
1		2						9

Solutions

1

6	8	1	7	2	5	9	4	3
3	2	5	4	9	1	8	6	7
7	4	9	8	6	3	1	2	5
5	3	8	1	4	7	2	9	6
1	6	2	3	8	9	5	7	4
9	7	4	6	5	2	3	8	1
4	1	3	2	7	8	6	5	9
8	9	6	5	3	4	7	1	2
2	5	7	9	1	6	4	3	8

2

7	3	1	2	5	8	9	6	4
4	9	8	6	3	7	5	2	1
5	2	6	1	9	4	7	8	3
9	5	7	3	8	2	1	4	6
8	1	2	4	6	5	3	7	9
3	6	4	9	7	1	8	5	2
1	7	3	5	2	6	4	9	8
2	8	9	7	4	3	6	1	5
6	4	5	8	1	9	2	3	7

3

6	3	5	2	4	8	1	9	7
8	1	9	5	7	3	4	6	2
4	2	7	1	9	6	3	8	5
2	6	8	7	5	4	9	3	1
1	7	3	8	2	9	6	5	4
5	9	4	3	6	1	2	7	8
3	4	2	9	8	7	5	1	6
7	5	1	6	3	2	8	4	9
9	8	6	4	1	5	7	2	3

4

4	3	9	8	6	1	5	7	2
2	6	8	7	5	9	4	3	1
1	7	5	2	3	4	9	8	6
6	5	3	9	7	2	8	1	4
7	2	4	1	8	5	3	6	9
9	8	1	6	4	3	7	2	5
8	1	7	5	9	6	2	4	3
3	9	2	4	1	7	6	5	8
5	4	6	3	2	8	1	9	7

5

5	1	8	3	7	2	6	9	4
9	6	3	5	4	8	2	7	1
7	2	4	9	1	6	3	5	8
8	7	1	2	6	4	5	3	9
6	3	9	8	5	1	4	2	7
2	4	5	7	3	9	1	8	6
3	8	6	4	2	7	9	1	5
4	5	7	1	9	3	8	6	2
1	9	2	6	8	5	7	4	3

6

3	7	6	8	1	9	5	4	2
5	9	4	6	7	2	3	8	1
8	2	1	5	3	4	7	6	9
6	4	7	3	5	1	9	2	8
1	5	2	9	8	7	4	3	6
9	3	8	4	2	6	1	7	5
7	1	9	2	4	8	6	5	3
2	6	5	7	9	3	8	1	4
4	8	3	1	6	5	2	9	7

Solutions

7

1	7	6	8	3	4	9	2	5
2	9	4	6	5	1	8	3	7
5	8	3	2	9	7	1	4	6
4	5	9	3	8	6	7	1	2
7	3	8	1	4	2	5	6	9
6	1	2	9	7	5	3	8	4
8	6	1	7	2	9	4	5	3
9	2	5	4	1	3	6	7	8
3	4	7	5	6	8	2	9	1

8

9	4	5	7	8	3	6	2	1
3	8	1	5	2	6	7	4	9
6	2	7	9	4	1	3	8	5
7	3	8	2	9	4	5	1	6
5	9	6	8	1	7	4	3	2
4	1	2	3	6	5	9	7	8
8	5	4	1	7	9	2	6	3
1	6	3	4	5	2	8	9	7
2	7	9	6	3	8	1	5	4

9

5	4	9	2	7	1	8	3	6
8	2	6	3	5	4	9	1	7
1	7	3	8	9	6	4	5	2
7	1	2	9	3	5	6	8	4
9	6	5	4	2	8	3	7	1
3	8	4	6	1	7	2	9	5
6	3	1	7	8	2	5	4	9
2	9	7	5	4	3	1	6	8
4	5	8	1	6	9	7	2	3

10

1	4	6	8	2	7	3	5	9
2	7	3	9	5	1	6	4	8
8	5	9	3	6	4	7	2	1
6	1	4	5	9	2	8	7	3
3	2	5	6	7	8	9	1	4
9	8	7	1	4	3	5	6	2
7	6	2	4	8	9	1	3	5
5	9	1	2	3	6	4	8	7
4	3	8	7	1	5	2	9	6

11

5	3	9	7	4	2	6	1	8
2	7	4	1	6	8	5	9	3
1	6	8	9	5	3	2	7	4
8	4	1	5	3	6	9	2	7
3	9	6	8	2	7	4	5	1
7	2	5	4	1	9	8	3	6
6	8	3	2	9	1	7	4	5
4	1	2	6	7	5	3	8	9
9	5	7	3	8	4	1	6	2

12

4	5	7	8	9	3	6	2	1
2	3	1	6	5	4	7	8	9
9	6	8	2	7	1	3	5	4
7	1	9	3	4	8	5	6	2
6	8	2	9	1	5	4	7	3
5	4	3	7	2	6	9	1	8
1	9	6	4	8	7	2	3	5
3	2	5	1	6	9	8	4	7
8	7	4	5	3	2	1	9	6

Solutions

13

3	8	1	4	9	2	7	5	6
4	2	5	7	1	6	8	3	9
7	9	6	5	3	8	2	1	4
2	1	8	6	5	9	3	4	7
6	7	9	3	2	4	1	8	5
5	4	3	8	7	1	9	6	2
1	3	4	9	6	7	5	2	8
8	5	7	2	4	3	6	9	1
9	6	2	1	8	5	4	7	3

14

7	1	6	9	3	2	4	5	8
5	3	9	4	6	8	7	2	1
2	8	4	7	1	5	9	6	3
9	4	8	2	5	7	3	1	6
3	2	7	1	8	6	5	9	4
6	5	1	3	9	4	8	7	2
8	6	3	5	7	1	2	4	9
4	9	5	6	2	3	1	8	7
1	7	2	8	4	9	6	3	5

15

8	3	9	4	5	7	2	1	6
1	7	4	6	2	8	3	9	5
6	2	5	1	9	3	8	4	7
4	5	6	8	3	1	7	2	9
7	9	8	2	4	6	1	5	3
3	1	2	5	7	9	4	6	8
9	4	1	7	8	5	6	3	2
2	8	3	9	6	4	5	7	1
5	6	7	3	1	2	9	8	4

16

5	8	7	9	4	6	2	1	3
2	4	1	3	7	5	8	9	6
3	6	9	1	8	2	7	4	5
6	2	4	5	1	8	3	7	9
1	9	3	4	6	7	5	8	2
8	7	5	2	3	9	4	6	1
4	5	2	7	9	1	6	3	8
9	3	6	8	2	4	1	5	7
7	1	8	6	5	3	9	2	4

17

5	8	6	9	1	7	2	4	3
2	7	1	4	3	6	8	5	9
4	3	9	2	5	8	7	1	6
6	2	7	1	8	9	4	3	5
8	9	5	3	6	4	1	7	2
1	4	3	7	2	5	9	6	8
7	1	8	6	9	3	5	2	4
9	6	2	5	4	1	3	8	7
3	5	4	8	7	2	6	9	1

18

1	9	4	8	5	2	6	3	7
5	7	8	6	9	3	2	1	4
3	6	2	4	7	1	8	9	5
9	4	6	7	1	8	3	5	2
2	3	1	5	6	9	4	7	8
8	5	7	3	2	4	1	6	9
4	8	9	1	3	5	7	2	6
7	1	5	2	8	6	9	4	3
6	2	3	9	4	7	5	8	1

Solutions

19

3	5	1	9	8	7	6	4	2
6	7	9	2	4	1	8	3	5
4	8	2	5	3	6	1	7	9
7	2	3	8	5	9	4	6	1
1	4	5	3	6	2	7	9	8
9	6	8	7	1	4	5	2	3
2	3	6	1	7	8	9	5	4
5	1	4	6	9	3	2	8	7
8	9	7	4	2	5	3	1	6

20

6	7	3	2	1	4	5	8	9
8	4	1	5	9	6	7	2	3
2	9	5	3	7	8	6	4	1
5	8	7	6	3	9	4	1	2
4	6	2	1	8	5	9	3	7
3	1	9	4	2	7	8	5	6
9	2	4	7	5	3	1	6	8
7	3	6	8	4	1	2	9	5
1	5	8	9	6	2	3	7	4

21

8	1	4	2	9	6	5	7	3
9	5	3	1	4	7	8	6	2
7	6	2	3	8	5	4	1	9
4	2	7	9	6	1	3	8	5
1	8	5	4	7	3	2	9	6
3	9	6	8	5	2	7	4	1
6	4	1	5	3	8	9	2	7
2	3	9	7	1	4	6	5	8
5	7	8	6	2	9	1	3	4

22

2	5	8	7	1	3	6	4	9
6	7	3	9	4	8	2	5	1
4	1	9	5	2	6	8	3	7
9	8	1	2	3	7	5	6	4
5	2	6	1	8	4	7	9	3
3	4	7	6	9	5	1	8	2
1	3	2	8	6	9	4	7	5
8	9	5	4	7	2	3	1	6
7	6	4	3	5	1	9	2	8

23

8	2	7	3	4	9	6	1	5
6	9	3	1	2	5	8	4	7
4	5	1	7	6	8	2	3	9
2	4	8	9	1	6	5	7	3
9	3	5	4	8	7	1	2	6
1	7	6	5	3	2	9	8	4
3	1	9	2	5	4	7	6	8
5	8	4	6	7	1	3	9	2
7	6	2	8	9	3	4	5	1

24

8	7	6	4	1	2	5	3	9
5	3	2	6	9	7	4	8	1
4	1	9	5	8	3	7	6	2
9	5	4	8	2	6	1	7	3
7	6	8	3	5	1	9	2	4
3	2	1	9	7	4	8	5	6
6	8	5	2	4	9	3	1	7
2	4	7	1	3	5	6	9	8
1	9	3	7	6	8	2	4	5

Solutions

25

4	5	9	7	2	1	8	6	3
2	7	3	6	5	8	4	1	9
8	1	6	4	9	3	5	7	2
6	8	2	3	4	9	1	5	7
7	9	4	2	1	5	3	8	6
5	3	1	8	6	7	2	9	4
3	4	7	5	8	6	9	2	1
1	6	8	9	3	2	7	4	5
9	2	5	1	7	4	6	3	8

26

2	1	5	6	3	9	8	7	4
3	9	4	7	8	2	1	5	6
8	7	6	5	1	4	3	2	9
7	6	1	4	5	3	9	8	2
9	5	8	1	2	7	6	4	3
4	2	3	9	6	8	7	1	5
1	3	2	8	9	5	4	6	7
6	4	9	2	7	1	5	3	8
5	8	7	3	4	6	2	9	1

27

8	6	4	2	5	1	9	7	3
2	3	1	8	7	9	5	4	6
5	7	9	3	6	4	1	2	8
4	1	6	5	9	2	3	8	7
7	9	2	1	8	3	6	5	4
3	8	5	6	4	7	2	1	9
6	4	8	9	2	5	7	3	1
9	2	3	7	1	8	4	6	5
1	5	7	4	3	6	8	9	2

28

7	3	4	2	8	9	6	5	1
1	6	2	5	7	4	3	8	9
9	8	5	6	3	1	4	7	2
5	4	7	3	1	2	8	9	6
6	9	8	4	5	7	1	2	3
3	2	1	9	6	8	7	4	5
2	1	9	7	4	3	5	6	8
8	7	6	1	2	5	9	3	4
4	5	3	8	9	6	2	1	7

29

1	7	6	9	3	2	8	5	4
2	3	4	5	8	1	6	9	7
9	8	5	6	7	4	2	1	3
4	2	7	1	5	3	9	8	6
3	9	1	8	4	6	5	7	2
5	6	8	2	9	7	4	3	1
7	5	3	4	6	8	1	2	9
6	1	9	7	2	5	3	4	8
8	4	2	3	1	9	7	6	5

30

6	7	3	9	4	2	8	5	1
8	1	9	7	6	5	4	2	3
2	5	4	3	8	1	7	9	6
5	8	2	1	7	6	9	3	4
9	4	1	2	5	3	6	7	8
3	6	7	8	9	4	5	1	2
7	2	6	4	3	9	1	8	5
4	3	8	5	1	7	2	6	9
1	9	5	6	2	8	3	4	7

Solutions

31

4	6	8	1	3	2	5	9	7
1	3	9	7	5	6	2	4	8
2	5	7	8	4	9	1	3	6
9	7	5	6	1	4	3	8	2
3	2	6	9	8	5	7	1	4
8	1	4	3	2	7	9	6	5
6	8	3	2	7	1	4	5	9
7	4	1	5	9	8	6	2	3
5	9	2	4	6	3	8	7	1

32

5	6	2	7	9	4	1	8	3
1	4	9	8	3	2	6	5	7
8	3	7	1	5	6	4	9	2
9	8	3	4	1	5	7	2	6
6	7	5	3	2	8	9	4	1
2	1	4	9	6	7	8	3	5
4	9	6	2	7	3	5	1	8
7	2	1	5	8	9	3	6	4
3	5	8	6	4	1	2	7	9

33

7	1	4	9	3	8	2	5	6
6	9	5	2	4	7	8	3	1
8	2	3	5	1	6	9	4	7
4	3	1	8	9	2	7	6	5
9	7	6	1	5	3	4	2	8
5	8	2	6	7	4	1	9	3
3	5	8	4	2	1	6	7	9
1	4	9	7	6	5	3	8	2
2	6	7	3	8	9	5	1	4

34

4	2	1	9	6	8	5	3	7
8	6	5	7	3	2	1	4	9
3	9	7	5	1	4	8	6	2
6	8	4	1	2	5	9	7	3
2	7	3	8	9	6	4	5	1
5	1	9	3	4	7	2	8	6
1	5	8	6	7	9	3	2	4
7	3	2	4	8	1	6	9	5
9	4	6	2	5	3	7	1	8

35

1	8	3	2	5	9	4	7	6
4	7	2	6	1	8	5	3	9
5	9	6	4	3	7	1	8	2
3	1	5	9	2	6	7	4	8
7	2	8	3	4	5	6	9	1
6	4	9	7	8	1	2	5	3
9	5	4	1	6	3	8	2	7
2	3	1	8	7	4	9	6	5
8	6	7	5	9	2	3	1	4

36

6	7	1	5	8	2	3	9	4
9	2	4	6	7	3	8	1	5
3	5	8	9	4	1	7	6	2
2	8	9	3	5	4	6	7	1
4	6	5	1	9	7	2	3	8
7	1	3	8	2	6	5	4	9
1	4	7	2	6	5	9	8	3
8	3	2	7	1	9	4	5	6
5	9	6	4	3	8	1	2	7

Solutions

37

3	6	1	9	8	4	5	7	2
4	2	9	7	5	3	1	8	6
7	5	8	1	6	2	4	9	3
9	4	5	2	7	1	3	6	8
2	1	6	8	3	5	7	4	9
8	7	3	6	4	9	2	5	1
6	8	4	3	2	7	9	1	5
1	3	7	5	9	6	8	2	4
5	9	2	4	1	8	6	3	7

38

2	8	3	6	4	9	5	7	1
5	7	6	3	8	1	4	2	9
4	9	1	7	5	2	8	3	6
7	6	8	1	3	4	9	5	2
9	3	5	8	2	7	6	1	4
1	2	4	9	6	5	7	8	3
6	1	9	2	7	8	3	4	5
8	4	2	5	9	3	1	6	7
3	5	7	4	1	6	2	9	8

39

3	6	8	1	9	4	2	7	5
7	4	1	2	5	8	3	9	6
2	5	9	3	7	6	8	1	4
5	1	7	9	3	2	4	6	8
8	3	6	7	4	1	9	5	2
9	2	4	6	8	5	7	3	1
1	8	3	5	2	9	6	4	7
6	7	2	4	1	3	5	8	9
4	9	5	8	6	7	1	2	3

40

2	4	8	5	6	1	9	7	3
7	6	3	8	2	9	5	1	4
1	5	9	3	4	7	6	2	8
5	3	4	7	9	2	1	8	6
8	2	6	4	1	5	7	3	9
9	7	1	6	3	8	4	5	2
4	1	7	2	8	6	3	9	5
6	9	2	1	5	3	8	4	7
3	8	5	9	7	4	2	6	1

41

8	3	4	5	9	7	1	6	2
7	1	5	8	6	2	3	4	9
2	6	9	1	3	4	7	5	8
9	2	8	3	4	1	6	7	5
5	7	1	9	8	6	4	2	3
3	4	6	2	7	5	8	9	1
6	8	3	7	5	9	2	1	4
1	5	7	4	2	8	9	3	6
4	9	2	6	1	3	5	8	7

42

8	3	9	6	5	2	1	4	7
4	2	1	8	3	7	6	9	5
5	7	6	1	9	4	8	2	3
1	6	4	5	8	3	9	7	2
9	8	3	7	2	1	4	5	6
2	5	7	4	6	9	3	8	1
6	4	2	3	7	8	5	1	9
7	1	5	9	4	6	2	3	8
3	9	8	2	1	5	7	6	4

Solutions

43

4	5	3	8	9	1	2	6	7
7	2	1	6	5	3	8	4	9
8	9	6	2	7	4	3	5	1
1	3	5	7	8	2	4	9	6
6	4	2	5	1	9	7	8	3
9	8	7	3	4	6	1	2	5
3	6	8	1	2	5	9	7	4
5	7	4	9	3	8	6	1	2
2	1	9	4	6	7	5	3	8

44

5	9	8	2	1	6	3	7	4
6	7	4	9	3	8	5	2	1
2	3	1	7	4	5	6	9	8
3	1	6	4	7	9	2	8	5
4	2	5	1	8	3	7	6	9
7	8	9	5	6	2	1	4	3
1	5	2	8	9	7	4	3	6
9	6	7	3	5	4	8	1	2
8	4	3	6	2	1	9	5	7

45

7	8	1	4	6	5	3	9	2
6	5	2	3	1	9	7	4	8
3	4	9	7	2	8	6	1	5
4	3	7	5	8	1	9	2	6
5	1	6	9	3	2	8	7	4
9	2	8	6	4	7	5	3	1
2	7	3	1	5	6	4	8	9
8	9	5	2	7	4	1	6	3
1	6	4	8	9	3	2	5	7

46

3	1	7	6	4	9	2	5	8
6	9	2	5	3	8	7	1	4
4	8	5	7	1	2	6	3	9
5	4	6	3	8	7	9	2	1
9	2	8	1	6	4	5	7	3
1	7	3	9	2	5	8	4	6
2	6	9	4	5	3	1	8	7
7	5	4	8	9	1	3	6	2
8	3	1	2	7	6	4	9	5

47

5	6	9	1	8	3	2	4	7
7	3	2	6	9	4	8	5	1
4	1	8	5	2	7	9	3	6
8	7	3	4	6	1	5	9	2
9	2	1	3	5	8	7	6	4
6	4	5	2	7	9	1	8	3
1	9	6	7	3	5	4	2	8
3	8	7	9	4	2	6	1	5
2	5	4	8	1	6	3	7	9

48

7	3	2	4	1	8	6	5	9
1	6	4	5	2	9	8	7	3
9	8	5	3	6	7	1	4	2
8	1	9	6	7	4	3	2	5
3	2	7	9	5	1	4	6	8
5	4	6	2	8	3	9	1	7
4	7	8	1	9	5	2	3	6
2	5	3	8	4	6	7	9	1
6	9	1	7	3	2	5	8	4

Solutions

49

6	5	7	3	8	9	2	4	1
4	3	9	2	7	1	8	6	5
8	2	1	5	4	6	3	7	9
2	4	5	1	3	7	6	9	8
9	1	3	8	6	5	7	2	4
7	6	8	9	2	4	5	1	3
3	9	2	7	1	8	4	5	6
1	8	6	4	5	2	9	3	7
5	7	4	6	9	3	1	8	2

50

3	1	4	9	7	6	5	2	8
7	6	8	4	2	5	1	9	3
2	5	9	3	1	8	7	6	4
4	2	6	7	5	9	8	3	1
9	8	3	6	4	1	2	7	5
1	7	5	2	8	3	9	4	6
6	4	1	8	9	7	3	5	2
8	3	7	5	6	2	4	1	9
5	9	2	1	3	4	6	8	7

51

4	2	5	1	3	7	9	6	8
3	1	8	2	6	9	5	4	7
9	6	7	8	5	4	3	2	1
5	9	4	6	7	2	1	8	3
7	3	1	4	8	5	2	9	6
2	8	6	3	9	1	4	7	5
8	5	9	7	2	3	6	1	4
6	4	2	5	1	8	7	3	9
1	7	3	9	4	6	8	5	2

52

1	6	3	7	8	5	4	9	2
7	4	5	6	2	9	8	1	3
8	9	2	3	4	1	5	7	6
5	3	7	2	1	6	9	4	8
6	8	4	9	5	3	1	2	7
9	2	1	4	7	8	6	3	5
4	5	6	1	3	2	7	8	9
2	1	8	5	9	7	3	6	4
3	7	9	8	6	4	2	5	1

53

5	2	6	1	3	9	4	7	8
3	9	4	5	8	7	1	2	6
1	8	7	6	2	4	9	5	3
9	4	8	7	6	2	5	3	1
7	1	3	9	4	5	6	8	2
6	5	2	8	1	3	7	9	4
8	3	5	4	7	6	2	1	9
2	6	9	3	5	1	8	4	7
4	7	1	2	9	8	3	6	5

54

3	9	7	1	5	8	4	2	6
1	5	4	9	6	2	7	8	3
6	8	2	3	7	4	1	9	5
9	7	3	5	2	6	8	4	1
5	4	6	8	1	7	2	3	9
8	2	1	4	3	9	6	5	7
7	1	5	2	8	3	9	6	4
2	6	9	7	4	5	3	1	8
4	3	8	6	9	1	5	7	2

Solutions

55

2	7	8	3	6	1	9	5	4
5	1	3	2	9	4	6	7	8
4	9	6	8	7	5	2	1	3
9	8	4	1	3	6	5	2	7
6	3	1	5	2	7	4	8	9
7	2	5	9	4	8	1	3	6
1	6	2	4	8	3	7	9	5
3	4	9	7	5	2	8	6	1
8	5	7	6	1	9	3	4	2

56

7	2	6	1	4	5	9	3	8
3	9	4	6	2	8	5	1	7
1	8	5	3	9	7	2	6	4
4	1	8	5	7	9	3	2	6
6	7	9	2	8	3	1	4	5
2	5	3	4	6	1	8	7	9
9	6	7	8	1	2	4	5	3
8	3	2	7	5	4	6	9	1
5	4	1	9	3	6	7	8	2

57

5	1	6	2	9	3	8	4	7
8	7	9	6	4	1	3	2	5
4	2	3	5	7	8	1	9	6
6	4	2	7	1	5	9	3	8
7	8	5	3	2	9	4	6	1
3	9	1	4	8	6	7	5	2
9	6	7	8	5	4	2	1	3
2	5	4	1	3	7	6	8	9
1	3	8	9	6	2	5	7	4

58

7	1	6	5	2	8	4	9	3
9	2	5	3	4	7	8	6	1
3	8	4	1	9	6	2	5	7
6	4	1	8	5	2	3	7	9
2	5	3	4	7	9	1	8	6
8	7	9	6	1	3	5	4	2
1	6	7	2	8	4	9	3	5
4	9	2	7	3	5	6	1	8
5	3	8	9	6	1	7	2	4

59

9	5	8	3	6	1	2	7	4
4	6	2	9	8	7	3	1	5
1	7	3	5	4	2	6	9	8
6	1	7	4	9	3	8	5	2
8	3	9	7	2	5	1	4	6
5	2	4	6	1	8	9	3	7
2	8	5	1	3	4	7	6	9
7	9	1	8	5	6	4	2	3
3	4	6	2	7	9	5	8	1

60

7	4	8	1	9	6	2	5	3
5	9	1	3	7	2	8	6	4
6	2	3	5	8	4	1	9	7
8	3	4	6	2	7	9	1	5
1	7	5	9	3	8	6	4	2
9	6	2	4	1	5	7	3	8
3	8	6	2	5	9	4	7	1
2	5	9	7	4	1	3	8	6
4	1	7	8	6	3	5	2	9

Solutions

61

7	9	2	4	5	1	3	8	6
5	8	6	9	2	3	7	4	1
4	1	3	7	6	8	5	9	2
3	6	7	1	8	9	4	2	5
8	2	5	3	4	6	1	7	9
1	4	9	2	7	5	8	6	3
2	5	1	8	9	4	6	3	7
9	3	4	6	1	7	2	5	8
6	7	8	5	3	2	9	1	4

62

1	6	3	4	8	9	5	7	2
8	9	7	2	6	5	3	4	1
4	2	5	7	1	3	8	9	6
9	8	4	3	2	1	6	5	7
7	5	6	9	4	8	2	1	3
3	1	2	6	5	7	4	8	9
5	7	8	1	3	2	9	6	4
2	4	1	8	9	6	7	3	5
6	3	9	5	7	4	1	2	8

63

3	8	6	1	5	2	4	9	7
5	4	2	7	9	6	3	8	1
9	7	1	8	3	4	5	2	6
2	3	4	6	7	5	8	1	9
1	6	5	9	4	8	2	7	3
8	9	7	2	1	3	6	4	5
7	5	3	4	8	9	1	6	2
6	1	8	3	2	7	9	5	4
4	2	9	5	6	1	7	3	8

64

5	6	8	2	1	9	3	7	4
3	1	7	4	8	5	2	6	9
4	9	2	3	7	6	8	1	5
9	8	3	5	6	2	7	4	1
1	2	5	9	4	7	6	8	3
6	7	4	8	3	1	5	9	2
7	5	6	1	9	3	4	2	8
8	3	9	7	2	4	1	5	6
2	4	1	6	5	8	9	3	7

65

8	4	6	7	9	5	3	2	1
3	2	1	6	4	8	9	5	7
9	7	5	3	1	2	4	8	6
2	3	9	5	8	1	6	7	4
7	5	4	2	3	6	1	9	8
6	1	8	4	7	9	5	3	2
5	9	2	1	6	7	8	4	3
1	8	3	9	2	4	7	6	5
4	6	7	8	5	3	2	1	9

66

7	1	6	5	4	8	3	2	9
4	2	8	3	9	6	1	5	7
9	5	3	1	2	7	6	4	8
6	4	5	2	8	9	7	1	3
3	7	2	4	6	1	8	9	5
8	9	1	7	5	3	2	6	4
2	6	7	9	3	5	4	8	1
1	8	9	6	7	4	5	3	2
5	3	4	8	1	2	9	7	6

Solutions

67

7	6	1	9	4	5	3	2	8
2	3	9	8	6	7	4	1	5
4	8	5	2	3	1	6	9	7
1	7	4	3	5	9	2	8	6
5	2	6	7	8	4	1	3	9
8	9	3	6	1	2	7	5	4
6	5	7	1	9	3	8	4	2
9	1	2	4	7	8	5	6	3
3	4	8	5	2	6	9	7	1

68

6	7	4	8	3	5	1	2	9
3	1	2	6	7	9	5	4	8
5	9	8	1	2	4	7	6	3
4	3	7	2	1	8	9	5	6
9	2	1	5	4	6	3	8	7
8	5	6	7	9	3	2	1	4
2	4	9	3	8	1	6	7	5
1	8	5	9	6	7	4	3	2
7	6	3	4	5	2	8	9	1

69

5	7	1	6	8	3	9	2	4
6	8	9	2	4	7	3	5	1
3	2	4	5	9	1	6	8	7
8	3	6	4	1	5	2	7	9
7	4	2	9	3	6	5	1	8
1	9	5	8	7	2	4	3	6
2	6	8	1	5	9	7	4	3
9	1	3	7	2	4	8	6	5
4	5	7	3	6	8	1	9	2

70

6	5	9	3	8	4	1	2	7
3	7	2	1	6	5	8	4	9
4	1	8	9	2	7	6	3	5
8	3	7	2	4	1	5	9	6
5	2	4	6	7	9	3	8	1
9	6	1	5	3	8	4	7	2
2	9	6	4	5	3	7	1	8
1	8	3	7	9	6	2	5	4
7	4	5	8	1	2	9	6	3

71

4	8	9	2	7	5	1	3	6
7	5	3	1	6	8	4	2	9
1	6	2	4	9	3	8	7	5
5	9	7	6	8	4	3	1	2
3	1	6	5	2	7	9	8	4
8	2	4	3	1	9	5	6	7
6	7	5	8	4	1	2	9	3
9	4	1	7	3	2	6	5	8
2	3	8	9	5	6	7	4	1

72

9	5	6	7	3	4	1	2	8
8	3	1	5	9	2	7	4	6
4	7	2	6	8	1	9	3	5
6	8	3	2	1	7	5	9	4
2	1	5	9	4	3	8	6	7
7	9	4	8	5	6	2	1	3
3	4	9	1	7	8	6	5	2
5	2	7	3	6	9	4	8	1
1	6	8	4	2	5	3	7	9

Solutions

73

9	8	1	7	6	3	2	4	5
6	7	4	2	8	5	1	3	9
2	5	3	4	1	9	7	8	6
1	3	9	8	2	4	5	6	7
4	2	7	6	5	1	8	9	3
8	6	5	3	9	7	4	1	2
3	1	2	5	4	6	9	7	8
5	4	6	9	7	8	3	2	1
7	9	8	1	3	2	6	5	4

74

7	3	2	5	4	6	1	9	8
5	4	8	1	3	9	7	2	6
9	1	6	7	2	8	3	5	4
4	2	1	9	6	5	8	7	3
3	9	5	8	7	4	2	6	1
6	8	7	3	1	2	5	4	9
8	6	4	2	5	1	9	3	7
1	5	3	6	9	7	4	8	2
2	7	9	4	8	3	6	1	5

75

9	3	4	5	6	1	2	8	7
6	7	8	4	2	3	1	9	5
1	2	5	9	8	7	4	6	3
8	4	9	7	5	6	3	1	2
2	5	1	8	3	4	9	7	6
7	6	3	1	9	2	5	4	8
4	8	6	2	1	5	7	3	9
3	1	2	6	7	9	8	5	4
5	9	7	3	4	8	6	2	1

76

4	3	8	1	2	6	5	9	7
5	9	1	7	8	3	2	6	4
6	2	7	5	9	4	8	1	3
9	1	5	2	7	8	4	3	6
8	7	6	3	4	1	9	2	5
2	4	3	6	5	9	7	8	1
1	8	2	4	6	5	3	7	9
7	6	4	9	3	2	1	5	8
3	5	9	8	1	7	6	4	2

77

9	8	1	6	7	3	2	4	5
4	2	3	5	9	1	6	7	8
6	7	5	8	4	2	3	1	9
3	1	2	4	5	9	7	8	6
7	4	6	1	3	8	9	5	2
5	9	8	2	6	7	4	3	1
2	3	4	9	8	5	1	6	7
8	6	9	7	1	4	5	2	3
1	5	7	3	2	6	8	9	4

78

3	8	6	9	7	5	1	4	2
5	2	7	4	1	8	9	6	3
1	9	4	3	2	6	7	8	5
8	6	2	7	4	3	5	9	1
4	3	1	8	5	9	2	7	6
7	5	9	2	6	1	8	3	4
2	7	3	5	8	4	6	1	9
6	4	8	1	9	2	3	5	7
9	1	5	6	3	7	4	2	8

Solutions

79

4	2	1	7	3	9	5	6	8
6	5	7	8	4	1	3	9	2
9	8	3	5	6	2	7	1	4
5	6	8	3	2	7	9	4	1
7	3	9	1	8	4	6	2	5
1	4	2	6	9	5	8	7	3
8	7	4	9	1	3	2	5	6
3	1	5	2	7	6	4	8	9
2	9	6	4	5	8	1	3	7

80

9	7	8	5	1	6	2	3	4
4	6	1	2	9	3	7	5	8
3	5	2	7	8	4	1	6	9
1	3	7	6	4	2	8	9	5
2	9	6	3	5	8	4	7	1
8	4	5	1	7	9	6	2	3
6	8	4	9	3	7	5	1	2
5	2	9	4	6	1	3	8	7
7	1	3	8	2	5	9	4	6

81

4	1	6	3	8	2	9	7	5
3	5	9	6	1	7	8	4	2
7	2	8	4	5	9	1	3	6
8	9	7	2	6	3	5	1	4
2	3	5	1	7	4	6	8	9
6	4	1	8	9	5	7	2	3
9	7	3	5	4	1	2	6	8
5	8	4	7	2	6	3	9	1
1	6	2	9	3	8	4	5	7

82

2	9	5	1	6	8	7	3	4
7	1	4	5	3	9	6	2	8
6	8	3	2	7	4	5	1	9
9	3	2	6	1	5	8	4	7
1	4	6	8	2	7	9	5	3
5	7	8	9	4	3	2	6	1
8	2	7	3	5	1	4	9	6
3	5	9	4	8	6	1	7	2
4	6	1	7	9	2	3	8	5

83

3	2	6	5	1	7	9	8	4
5	8	4	9	3	2	1	6	7
1	7	9	4	6	8	5	2	3
8	1	7	6	2	4	3	5	9
2	4	3	8	9	5	7	1	6
9	6	5	1	7	3	2	4	8
6	3	8	7	5	1	4	9	2
4	5	2	3	8	9	6	7	1
7	9	1	2	4	6	8	3	5

84

5	6	2	3	9	7	4	8	1
3	9	8	1	2	4	5	7	6
7	1	4	5	8	6	2	3	9
2	7	6	4	5	1	3	9	8
9	8	5	6	3	2	1	4	7
4	3	1	9	7	8	6	5	2
8	5	3	2	1	9	7	6	4
6	2	7	8	4	3	9	1	5
1	4	9	7	6	5	8	2	3

85

5	1	2	6	8	7	4	9	3
3	7	4	2	9	1	8	5	6
8	6	9	5	3	4	2	7	1
7	2	6	9	1	8	3	4	5
9	3	1	7	4	5	6	2	8
4	5	8	3	6	2	7	1	9
6	9	7	1	2	3	5	8	4
1	8	5	4	7	6	9	3	2
2	4	3	8	5	9	1	6	7

86

6	7	2	3	4	5	9	8	1
5	8	3	2	9	1	7	4	6
1	9	4	6	7	8	5	2	3
9	2	8	5	1	6	4	3	7
7	4	1	8	3	9	6	5	2
3	6	5	7	2	4	8	1	9
8	3	6	9	5	2	1	7	4
4	5	7	1	6	3	2	9	8
2	1	9	4	8	7	3	6	5

87

9	3	8	2	4	1	6	5	7
2	7	1	8	5	6	4	9	3
4	5	6	7	3	9	8	2	1
5	9	3	6	1	2	7	4	8
7	1	2	4	8	5	3	6	9
8	6	4	3	9	7	2	1	5
3	8	5	1	2	4	9	7	6
1	2	7	9	6	8	5	3	4
6	4	9	5	7	3	1	8	2

88

4	7	3	6	8	2	1	9	5
2	8	1	3	5	9	7	6	4
9	6	5	7	4	1	3	8	2
1	2	8	4	7	5	6	3	9
5	4	6	8	9	3	2	7	1
3	9	7	1	2	6	5	4	8
7	1	4	5	6	8	9	2	3
6	3	2	9	1	4	8	5	7
8	5	9	2	3	7	4	1	6

89

7	3	8	1	2	9	5	4	6
5	2	6	8	4	3	7	1	9
4	9	1	6	7	5	2	8	3
2	4	5	3	1	7	9	6	8
3	8	9	4	5	6	1	2	7
1	6	7	9	8	2	3	5	4
8	1	3	2	9	4	6	7	5
6	7	2	5	3	8	4	9	1
9	5	4	7	6	1	8	3	2

90

7	6	1	8	4	3	5	2	9
3	5	8	1	2	9	7	6	4
9	4	2	7	5	6	3	8	1
4	9	5	2	3	1	6	7	8
2	3	7	9	6	8	1	4	5
8	1	6	4	7	5	9	3	2
6	2	3	5	1	4	8	9	7
1	8	4	6	9	7	2	5	3
5	7	9	3	8	2	4	1	6

91

8	6	7	4	2	5	1	3	9
4	1	9	7	8	3	5	2	6
3	5	2	6	9	1	8	4	7
9	7	8	2	1	4	6	5	3
6	2	5	8	3	7	4	9	1
1	4	3	5	6	9	7	8	2
7	9	6	3	4	8	2	1	5
5	8	1	9	7	2	3	6	4
2	3	4	1	5	6	9	7	8

92

8	3	9	5	4	6	1	7	2
6	5	2	7	3	1	4	9	8
4	7	1	8	9	2	5	3	6
2	6	3	4	7	9	8	1	5
5	4	7	6	1	8	3	2	9
1	9	8	2	5	3	7	6	4
9	8	5	3	6	7	2	4	1
3	2	6	1	8	4	9	5	7
7	1	4	9	2	5	6	8	3

93

1	8	7	4	2	9	5	3	6
3	6	9	1	8	5	4	7	2
4	5	2	7	3	6	1	9	8
6	2	3	8	5	4	9	1	7
9	1	8	6	7	3	2	5	4
5	7	4	9	1	2	6	8	3
7	9	5	2	6	8	3	4	1
2	4	1	3	9	7	8	6	5
8	3	6	5	4	1	7	2	9

94

7	2	1	6	8	3	5	9	4
8	6	3	9	4	5	7	1	2
5	9	4	2	7	1	6	8	3
3	1	8	4	6	2	9	5	7
4	7	6	3	5	9	1	2	8
2	5	9	7	1	8	3	4	6
9	4	7	5	2	6	8	3	1
6	8	5	1	3	4	2	7	9
1	3	2	8	9	7	4	6	5

95

3	6	4	2	9	8	7	5	1
5	7	9	3	1	6	2	4	8
2	1	8	5	4	7	6	3	9
8	4	1	7	3	9	5	2	6
6	5	7	4	8	2	9	1	3
9	2	3	6	5	1	4	8	7
1	9	2	8	7	5	3	6	4
4	8	6	9	2	3	1	7	5
7	3	5	1	6	4	8	9	2

96

1	7	4	8	9	6	3	5	2
2	3	8	5	7	1	4	6	9
6	5	9	3	2	4	8	7	1
8	6	3	4	1	5	9	2	7
9	2	5	7	6	8	1	3	4
4	1	7	2	3	9	5	8	6
3	4	2	9	5	7	6	1	8
7	9	6	1	8	3	2	4	5
5	8	1	6	4	2	7	9	3

Solutions

97

2	6	1	9	3	8	5	7	4
9	4	8	2	7	5	3	6	1
3	5	7	6	4	1	9	2	8
4	7	6	8	5	9	2	1	3
1	3	9	7	2	6	4	8	5
8	2	5	3	1	4	6	9	7
6	9	4	5	8	7	1	3	2
5	8	3	1	6	2	7	4	9
7	1	2	4	9	3	8	5	6

98

8	2	5	6	9	3	1	4	7
7	4	3	5	8	1	2	9	6
1	6	9	7	4	2	5	8	3
5	3	1	4	6	9	8	7	2
6	7	4	3	2	8	9	5	1
9	8	2	1	5	7	6	3	4
4	1	8	2	3	5	7	6	9
2	5	6	9	7	4	3	1	8
3	9	7	8	1	6	4	2	5

99

2	7	1	4	6	9	5	8	3
6	9	8	5	3	2	1	4	7
4	5	3	8	7	1	2	9	6
9	3	2	7	8	4	6	5	1
7	1	5	6	9	3	4	2	8
8	6	4	2	1	5	7	3	9
5	8	9	1	2	6	3	7	4
3	4	6	9	5	7	8	1	2
1	2	7	3	4	8	9	6	5

100

7	5	4	2	3	1	6	9	8
2	6	3	5	8	9	4	1	7
9	8	1	6	4	7	5	2	3
5	2	8	9	6	4	7	3	1
1	4	9	7	5	3	2	8	6
6	3	7	1	2	8	9	4	5
4	9	6	8	1	5	3	7	2
3	1	2	4	7	6	8	5	9
8	7	5	3	9	2	1	6	4

101

8	3	6	7	2	4	9	1	5
9	4	5	1	3	6	2	8	7
1	2	7	8	9	5	6	3	4
7	9	8	5	1	3	4	6	2
3	5	4	6	8	2	1	7	9
2	6	1	4	7	9	8	5	3
4	7	2	3	6	1	5	9	8
5	1	3	9	4	8	7	2	6
6	8	9	2	5	7	3	4	1

102

4	1	7	2	5	8	9	3	6
9	6	2	3	7	1	8	5	4
3	8	5	9	6	4	1	2	7
7	3	6	5	2	9	4	8	1
8	5	1	6	4	3	2	7	9
2	9	4	8	1	7	5	6	3
5	7	9	4	8	6	3	1	2
6	4	8	1	3	2	7	9	5
1	2	3	7	9	5	6	4	8

Solutions

103

9	2	3	6	8	4	5	7	1
4	6	5	3	1	7	2	8	9
1	8	7	5	9	2	6	3	4
7	9	4	8	2	6	1	5	3
5	1	2	9	7	3	8	4	6
6	3	8	4	5	1	7	9	2
3	7	6	2	4	8	9	1	5
2	5	1	7	3	9	4	6	8
8	4	9	1	6	5	3	2	7

104

1	7	2	6	4	9	3	8	5
8	6	3	1	7	5	2	9	4
9	5	4	3	8	2	1	7	6
6	2	7	8	9	3	4	5	1
3	9	1	5	2	4	8	6	7
5	4	8	7	6	1	9	2	3
2	3	6	9	1	7	5	4	8
4	8	5	2	3	6	7	1	9
7	1	9	4	5	8	6	3	2

105

4	1	5	9	7	6	8	3	2
9	7	6	3	2	8	4	1	5
3	2	8	5	1	4	7	6	9
6	3	1	7	5	9	2	8	4
2	4	9	1	8	3	6	5	7
5	8	7	6	4	2	3	9	1
7	5	3	4	6	1	9	2	8
1	9	2	8	3	7	5	4	6
8	6	4	2	9	5	1	7	3

106

5	8	3	9	7	6	1	4	2
4	6	1	3	2	5	8	9	7
2	9	7	8	1	4	3	5	6
8	1	6	4	9	7	5	2	3
3	2	5	1	6	8	4	7	9
9	7	4	2	5	3	6	1	8
6	3	2	5	4	9	7	8	1
1	4	8	7	3	2	9	6	5
7	5	9	6	8	1	2	3	4

107

2	7	5	4	6	9	8	3	1
8	4	6	7	3	1	2	5	9
9	3	1	5	2	8	7	4	6
3	5	7	6	9	2	4	1	8
1	8	9	3	5	4	6	2	7
4	6	2	8	1	7	5	9	3
6	2	3	9	8	5	1	7	4
5	9	4	1	7	6	3	8	2
7	1	8	2	4	3	9	6	5

108

7	5	9	2	1	4	6	8	3
3	6	2	7	8	9	4	1	5
4	1	8	5	3	6	7	2	9
6	9	4	1	7	3	2	5	8
1	2	5	6	9	8	3	4	7
8	3	7	4	5	2	9	6	1
9	7	6	8	4	5	1	3	2
5	4	3	9	2	1	8	7	6
2	8	1	3	6	7	5	9	4

Solutions

109

2	6	3	4	5	8	7	9	1
8	7	4	2	1	9	3	6	5
9	5	1	7	3	6	2	4	8
1	8	2	6	7	3	9	5	4
7	3	6	9	4	5	1	8	2
4	9	5	8	2	1	6	7	3
6	2	9	3	8	4	5	1	7
3	1	8	5	9	7	4	2	6
5	4	7	1	6	2	8	3	9

110

4	1	7	9	8	5	2	3	6
9	8	6	7	2	3	1	5	4
2	5	3	1	4	6	9	8	7
1	7	4	3	9	2	5	6	8
5	9	8	4	6	1	7	2	3
3	6	2	5	7	8	4	9	1
8	3	1	2	5	7	6	4	9
6	4	5	8	1	9	3	7	2
7	2	9	6	3	4	8	1	5

111

1	8	6	7	9	3	2	5	4
2	9	5	1	8	4	3	6	7
7	4	3	5	6	2	9	1	8
8	3	7	2	1	9	6	4	5
9	1	2	4	5	6	7	8	3
6	5	4	3	7	8	1	2	9
3	2	1	9	4	5	8	7	6
4	6	9	8	2	7	5	3	1
5	7	8	6	3	1	4	9	2

112

4	5	6	8	2	1	3	9	7
1	7	3	9	6	4	2	5	8
8	2	9	3	5	7	6	4	1
7	8	2	5	9	6	1	3	4
3	4	5	1	7	2	8	6	9
6	9	1	4	8	3	5	7	2
2	3	4	6	1	9	7	8	5
5	6	7	2	4	8	9	1	3
9	1	8	7	3	5	4	2	6

113

4	5	1	7	3	6	2	9	8
2	8	7	4	9	1	6	3	5
9	6	3	2	5	8	1	7	4
6	2	9	3	1	4	5	8	7
1	3	4	5	8	7	9	6	2
5	7	8	9	6	2	3	4	1
3	1	5	8	7	9	4	2	6
7	9	2	6	4	5	8	1	3
8	4	6	1	2	3	7	5	9

114

5	6	8	4	9	7	3	1	2
3	4	1	8	2	6	9	7	5
9	2	7	5	3	1	6	8	4
4	7	5	1	8	3	2	6	9
2	1	6	7	4	9	8	5	3
8	9	3	2	6	5	1	4	7
1	5	2	3	7	8	4	9	6
7	3	9	6	1	4	5	2	8
6	8	4	9	5	2	7	3	1

Solutions

115

6	8	5	3	1	9	2	7	4
4	2	3	6	8	7	9	5	1
7	9	1	4	2	5	3	6	8
1	6	7	2	5	8	4	3	9
2	4	9	7	3	6	8	1	5
3	5	8	9	4	1	6	2	7
9	1	4	5	6	2	7	8	3
8	7	2	1	9	3	5	4	6
5	3	6	8	7	4	1	9	2

116

9	2	1	7	5	8	4	3	6
5	8	6	4	3	1	2	7	9
7	3	4	9	2	6	5	8	1
6	1	8	2	7	5	3	9	4
4	9	2	8	1	3	7	6	5
3	5	7	6	9	4	8	1	2
8	6	9	5	4	7	1	2	3
2	4	3	1	8	9	6	5	7
1	7	5	3	6	2	9	4	8

117

5	9	2	4	3	1	6	8	7
6	7	4	8	5	9	3	1	2
1	8	3	6	7	2	5	9	4
4	5	7	1	2	3	8	6	9
9	1	6	7	8	4	2	5	3
2	3	8	9	6	5	4	7	1
3	6	1	5	4	7	9	2	8
8	2	9	3	1	6	7	4	5
7	4	5	2	9	8	1	3	6

118

9	4	2	5	7	3	6	8	1
8	3	1	6	9	2	4	7	5
6	5	7	4	8	1	9	3	2
3	6	5	2	1	8	7	4	9
1	2	9	7	3	4	8	5	6
7	8	4	9	6	5	2	1	3
2	7	3	1	4	6	5	9	8
4	1	6	8	5	9	3	2	7
5	9	8	3	2	7	1	6	4

119

3	2	9	7	6	8	5	1	4
8	7	5	4	3	1	6	2	9
1	6	4	9	5	2	3	8	7
5	3	8	2	9	6	7	4	1
7	9	1	8	4	5	2	3	6
6	4	2	1	7	3	8	9	5
2	5	3	6	1	4	9	7	8
4	8	7	5	2	9	1	6	3
9	1	6	3	8	7	4	5	2

120

7	5	3	6	8	2	4	9	1
2	8	4	9	1	5	3	7	6
1	6	9	3	7	4	8	2	5
5	9	8	7	2	3	1	6	4
6	1	7	5	4	8	9	3	2
4	3	2	1	6	9	7	5	8
8	7	5	2	9	1	6	4	3
9	2	1	4	3	6	5	8	7
3	4	6	8	5	7	2	1	9

Solutions

121

6	1	4	7	8	3	9	2	5
9	5	8	4	2	6	3	1	7
2	3	7	5	9	1	4	8	6
8	9	2	1	4	5	7	6	3
5	7	6	2	3	9	1	4	8
3	4	1	8	6	7	2	5	9
1	8	5	3	7	4	6	9	2
7	2	9	6	1	8	5	3	4
4	6	3	9	5	2	8	7	1

122

8	5	3	4	2	1	9	7	6
1	2	7	9	3	6	8	4	5
6	4	9	5	7	8	2	1	3
2	9	4	7	1	5	3	6	8
7	8	5	6	9	3	1	2	4
3	1	6	2	8	4	7	5	9
5	3	1	8	6	2	4	9	7
4	7	2	3	5	9	6	8	1
9	6	8	1	4	7	5	3	2

123

9	1	4	2	6	3	5	8	7
6	2	7	9	8	5	1	4	3
8	5	3	1	4	7	9	2	6
2	3	8	4	5	9	6	7	1
1	9	6	8	7	2	4	3	5
4	7	5	6	3	1	8	9	2
5	8	9	3	2	6	7	1	4
7	4	2	5	1	8	3	6	9
3	6	1	7	9	4	2	5	8

124

6	3	8	5	7	9	4	1	2
1	7	4	8	6	2	3	9	5
9	5	2	1	4	3	7	8	6
8	1	5	6	9	4	2	3	7
4	2	3	7	5	8	1	6	9
7	9	6	3	2	1	8	5	4
3	4	7	9	8	6	5	2	1
5	8	9	2	1	7	6	4	3
2	6	1	4	3	5	9	7	8

125

4	9	2	1	7	3	5	8	6
6	7	5	4	9	8	2	1	3
1	3	8	2	6	5	4	9	7
8	1	7	9	5	2	3	6	4
3	6	4	7	8	1	9	2	5
2	5	9	6	3	4	1	7	8
5	4	6	8	1	9	7	3	2
7	2	1	3	4	6	8	5	9
9	8	3	5	2	7	6	4	1

126

6	1	8	5	2	7	9	3	4
7	3	2	9	4	8	6	1	5
9	4	5	3	6	1	2	7	8
5	6	4	7	8	2	3	9	1
1	7	9	4	3	5	8	6	2
8	2	3	1	9	6	5	4	7
3	8	1	2	7	9	4	5	6
2	9	7	6	5	4	1	8	3
4	5	6	8	1	3	7	2	9

Solutions

127

9	6	3	2	8	1	4	5	7
1	5	4	6	9	7	2	8	3
8	2	7	4	5	3	1	9	6
2	4	9	3	1	8	7	6	5
6	3	5	7	4	2	8	1	9
7	1	8	9	6	5	3	4	2
4	7	1	5	2	9	6	3	8
5	8	2	1	3	6	9	7	4
3	9	6	8	7	4	5	2	1

128

4	8	9	1	7	6	3	5	2
1	2	5	3	4	9	7	8	6
7	3	6	2	5	8	1	4	9
5	4	3	7	1	2	6	9	8
9	6	7	5	8	3	4	2	1
8	1	2	6	9	4	5	3	7
2	7	4	8	6	5	9	1	3
6	5	8	9	3	1	2	7	4
3	9	1	4	2	7	8	6	5

129

7	1	9	5	6	8	2	4	3
2	6	8	1	4	3	7	5	9
5	3	4	2	7	9	1	8	6
4	2	7	8	1	6	3	9	5
9	8	3	7	5	4	6	1	2
6	5	1	3	9	2	4	7	8
3	7	5	9	2	1	8	6	4
1	4	2	6	8	5	9	3	7
8	9	6	4	3	7	5	2	1

130

6	9	7	1	4	5	3	2	8
1	8	5	3	6	2	9	7	4
3	2	4	7	9	8	1	6	5
9	5	2	6	3	4	7	8	1
7	1	6	2	8	9	5	4	3
4	3	8	5	7	1	2	9	6
5	6	9	8	2	3	4	1	7
8	4	3	9	1	7	6	5	2
2	7	1	4	5	6	8	3	9

131

1	5	4	3	8	7	9	6	2
6	8	3	9	2	5	1	4	7
2	7	9	6	1	4	8	3	5
8	4	7	2	5	3	6	1	9
3	2	6	1	7	9	5	8	4
9	1	5	8	4	6	7	2	3
7	9	8	4	3	1	2	5	6
5	3	2	7	6	8	4	9	1
4	6	1	5	9	2	3	7	8

132

9	1	8	7	5	2	6	3	4
7	4	5	1	6	3	2	8	9
2	3	6	4	8	9	1	7	5
8	5	3	2	9	7	4	6	1
1	2	4	6	3	5	8	9	7
6	7	9	8	4	1	3	5	2
5	8	1	9	2	6	7	4	3
3	6	7	5	1	4	9	2	8
4	9	2	3	7	8	5	1	6

Solutions

133

4	7	1	5	2	8	6	3	9
3	5	9	1	6	4	2	8	7
2	6	8	3	7	9	1	5	4
9	1	3	8	4	5	7	2	6
5	4	7	2	3	6	8	9	1
6	8	2	9	1	7	3	4	5
7	9	5	6	8	2	4	1	3
8	3	4	7	5	1	9	6	2
1	2	6	4	9	3	5	7	8

134

4	7	8	3	2	6	9	5	1
6	2	3	1	5	9	4	7	8
9	5	1	8	7	4	6	2	3
1	4	7	2	6	8	3	9	5
8	6	2	5	9	3	1	4	7
3	9	5	7	4	1	8	6	2
5	1	4	6	8	7	2	3	9
7	8	6	9	3	2	5	1	4
2	3	9	4	1	5	7	8	6

135

7	6	2	1	9	8	3	5	4
9	1	4	2	5	3	8	6	7
8	3	5	4	7	6	1	9	2
5	2	1	3	4	7	9	8	6
3	8	7	6	2	9	5	4	1
6	4	9	8	1	5	7	2	3
4	7	3	5	8	2	6	1	9
1	9	8	7	6	4	2	3	5
2	5	6	9	3	1	4	7	8

136

6	3	5	2	8	7	9	4	1
8	4	1	3	5	9	2	6	7
2	7	9	6	1	4	8	5	3
7	5	2	4	6	8	1	3	9
1	8	4	9	3	5	6	7	2
9	6	3	1	7	2	4	8	5
5	1	8	7	9	6	3	2	4
4	9	6	5	2	3	7	1	8
3	2	7	8	4	1	5	9	6

137

1	5	7	3	2	6	9	8	4
2	4	8	9	7	1	5	3	6
3	6	9	8	5	4	7	2	1
6	8	5	2	4	7	1	9	3
9	1	4	5	8	3	6	7	2
7	2	3	1	6	9	4	5	8
5	9	1	6	3	8	2	4	7
8	7	2	4	1	5	3	6	9
4	3	6	7	9	2	8	1	5

138

9	1	6	4	2	8	5	3	7
5	2	8	3	7	1	9	4	6
4	7	3	5	9	6	2	1	8
6	8	1	9	5	3	7	2	4
2	3	5	7	1	4	8	6	9
7	4	9	6	8	2	1	5	3
1	6	7	2	3	9	4	8	5
8	5	4	1	6	7	3	9	2
3	9	2	8	4	5	6	7	1

Solutions

139

6	1	5	9	7	3	2	8	4
3	7	4	6	2	8	5	1	9
2	9	8	4	5	1	7	6	3
4	2	7	1	3	9	6	5	8
5	8	1	7	4	6	3	9	2
9	3	6	2	8	5	1	4	7
7	5	9	3	6	4	8	2	1
1	6	2	8	9	7	4	3	5
8	4	3	5	1	2	9	7	6

140

9	5	3	1	2	6	8	7	4
1	4	7	3	8	5	9	2	6
6	2	8	4	9	7	5	1	3
4	8	6	7	5	3	1	9	2
5	3	9	2	1	4	6	8	7
2	7	1	9	6	8	3	4	5
8	9	4	5	3	2	7	6	1
3	1	2	6	7	9	4	5	8
7	6	5	8	4	1	2	3	9

141

7	4	3	5	1	6	2	8	9
1	6	9	3	8	2	7	4	5
8	5	2	4	9	7	3	6	1
5	2	8	1	6	9	4	3	7
9	1	6	7	4	3	5	2	8
4	3	7	8	2	5	1	9	6
3	8	1	9	7	4	6	5	2
6	7	4	2	5	8	9	1	3
2	9	5	6	3	1	8	7	4

142

6	1	9	8	2	4	7	5	3
7	4	5	6	3	9	1	2	8
8	2	3	7	1	5	6	4	9
9	8	4	2	7	3	5	1	6
3	6	2	9	5	1	8	7	4
5	7	1	4	6	8	3	9	2
2	3	7	5	9	6	4	8	1
1	5	8	3	4	2	9	6	7
4	9	6	1	8	7	2	3	5

143

3	2	4	5	6	1	9	8	7
9	1	7	8	3	4	5	6	2
6	5	8	2	9	7	4	3	1
4	7	9	3	1	5	8	2	6
1	6	2	4	8	9	7	5	3
5	8	3	6	7	2	1	4	9
2	4	1	7	5	3	6	9	8
7	3	6	9	4	8	2	1	5
8	9	5	1	2	6	3	7	4

144

3	6	5	1	7	8	4	9	2
4	1	9	2	6	5	7	8	3
7	8	2	4	3	9	1	6	5
9	3	4	8	1	6	5	2	7
8	7	1	5	2	3	6	4	9
5	2	6	9	4	7	3	1	8
6	5	8	3	9	4	2	7	1
1	9	7	6	5	2	8	3	4
2	4	3	7	8	1	9	5	6

Solutions

145

5	1	7	9	8	6	4	3	2
6	9	2	3	1	4	5	7	8
8	4	3	7	2	5	6	9	1
9	5	1	2	4	7	8	6	3
7	6	4	8	5	3	1	2	9
3	2	8	1	6	9	7	5	4
4	3	5	6	9	8	2	1	7
1	7	6	4	3	2	9	8	5
2	8	9	5	7	1	3	4	6

146

6	1	2	9	7	4	3	5	8
5	4	9	8	6	3	1	2	7
7	3	8	2	5	1	6	4	9
1	9	7	3	2	6	5	8	4
4	6	5	1	8	7	2	9	3
2	8	3	4	9	5	7	6	1
8	7	4	6	1	2	9	3	5
3	5	6	7	4	9	8	1	2
9	2	1	5	3	8	4	7	6

147

8	6	1	5	3	4	7	9	2
2	5	9	7	8	1	6	3	4
7	3	4	2	9	6	5	1	8
4	8	3	6	2	9	1	5	7
5	1	7	3	4	8	9	2	6
9	2	6	1	7	5	4	8	3
1	7	5	8	6	2	3	4	9
3	4	8	9	1	7	2	6	5
6	9	2	4	5	3	8	7	1

148

9	8	3	4	1	2	6	5	7
7	6	2	9	5	3	1	8	4
1	5	4	6	7	8	3	9	2
8	7	6	3	2	9	5	4	1
4	9	1	8	6	5	7	2	3
3	2	5	1	4	7	8	6	9
5	1	8	2	3	4	9	7	6
6	4	9	7	8	1	2	3	5
2	3	7	5	9	6	4	1	8

149

3	1	5	6	7	9	4	2	8
2	9	7	3	8	4	5	6	1
8	4	6	1	2	5	9	3	7
6	5	1	4	3	7	8	9	2
4	3	2	9	5	8	7	1	6
7	8	9	2	1	6	3	5	4
9	7	3	8	6	1	2	4	5
5	6	4	7	9	2	1	8	3
1	2	8	5	4	3	6	7	9

150

3	9	4	1	7	8	5	2	6
6	5	7	9	4	2	3	8	1
2	8	1	3	5	6	9	4	7
1	4	8	5	9	7	6	3	2
7	3	5	6	2	4	1	9	8
9	6	2	8	3	1	7	5	4
8	2	3	7	1	5	4	6	9
4	7	9	2	6	3	8	1	5
5	1	6	4	8	9	2	7	3

Solutions

151

9	7	6	3	1	5	4	8	2
1	4	5	8	6	2	7	3	9
2	3	8	4	9	7	6	5	1
8	6	4	2	3	9	1	7	5
3	5	9	1	7	4	2	6	8
7	2	1	6	5	8	3	9	4
5	9	3	7	4	1	8	2	6
6	1	2	9	8	3	5	4	7
4	8	7	5	2	6	9	1	3

152

4	3	7	5	8	9	2	6	1
1	9	6	7	4	2	5	3	8
8	5	2	1	3	6	9	7	4
9	2	8	6	7	3	1	4	5
6	1	3	9	5	4	7	8	2
7	4	5	8	2	1	3	9	6
5	7	9	2	6	8	4	1	3
2	8	4	3	1	7	6	5	9
3	6	1	4	9	5	8	2	7

153

9	3	8	5	6	1	4	2	7
1	5	6	2	7	4	8	3	9
7	4	2	8	9	3	6	1	5
6	7	1	9	4	5	2	8	3
8	2	5	1	3	6	7	9	4
3	9	4	7	8	2	5	6	1
4	1	3	6	2	7	9	5	8
2	8	7	3	5	9	1	4	6
5	6	9	4	1	8	3	7	2

154

9	5	3	8	1	6	7	4	2
7	4	6	3	2	9	8	1	5
8	2	1	7	4	5	3	9	6
4	1	8	6	9	2	5	7	3
5	7	2	4	3	8	1	6	9
3	6	9	1	5	7	4	2	8
6	3	7	2	8	1	9	5	4
1	8	5	9	6	4	2	3	7
2	9	4	5	7	3	6	8	1

155

4	1	9	6	8	2	5	7	3
8	6	5	3	7	1	4	9	2
3	2	7	5	4	9	1	8	6
2	7	6	9	3	4	8	1	5
1	4	8	2	5	6	9	3	7
9	5	3	7	1	8	2	6	4
7	9	4	8	2	3	6	5	1
5	8	2	1	6	7	3	4	9
6	3	1	4	9	5	7	2	8

156

6	8	5	1	7	2	4	3	9
9	7	3	8	4	6	5	2	1
4	1	2	9	5	3	7	6	8
7	5	8	4	3	9	6	1	2
3	6	1	5	2	8	9	4	7
2	4	9	7	6	1	8	5	3
5	9	7	2	1	4	3	8	6
1	3	4	6	8	7	2	9	5
8	2	6	3	9	5	1	7	4

Solutions

157

8	2	4	6	5	7	3	1	9
5	9	6	2	3	1	7	4	8
1	3	7	4	8	9	6	5	2
7	6	1	8	2	4	5	9	3
2	8	5	9	7	3	4	6	1
9	4	3	5	1	6	8	2	7
4	1	8	7	6	2	9	3	5
6	7	2	3	9	5	1	8	4
3	5	9	1	4	8	2	7	6

158

3	1	6	4	5	7	9	2	8
9	2	8	3	1	6	7	4	5
5	7	4	9	2	8	6	1	3
7	5	2	1	8	4	3	6	9
4	3	9	7	6	5	1	8	2
8	6	1	2	3	9	5	7	4
2	9	3	6	4	1	8	5	7
6	8	7	5	9	2	4	3	1
1	4	5	8	7	3	2	9	6

159

7	5	2	9	6	3	4	1	8
1	6	8	2	4	5	3	9	7
4	9	3	1	8	7	6	2	5
5	3	4	7	2	8	9	6	1
8	7	1	6	3	9	5	4	2
9	2	6	5	1	4	7	8	3
6	8	5	4	7	1	2	3	9
3	4	7	8	9	2	1	5	6
2	1	9	3	5	6	8	7	4

160

2	1	6	5	3	4	7	9	8
9	3	7	8	2	6	4	1	5
5	4	8	1	7	9	2	3	6
1	9	4	7	6	2	5	8	3
7	8	5	3	9	1	6	4	2
3	6	2	4	8	5	1	7	9
4	7	9	6	5	8	3	2	1
6	2	1	9	4	3	8	5	7
8	5	3	2	1	7	9	6	4

161

1	7	6	4	8	3	2	9	5
2	4	5	1	6	9	3	8	7
9	8	3	7	5	2	1	6	4
6	3	9	2	4	8	7	5	1
5	1	4	3	7	6	9	2	8
8	2	7	9	1	5	4	3	6
7	5	2	8	3	4	6	1	9
4	9	8	6	2	1	5	7	3
3	6	1	5	9	7	8	4	2

162

9	6	4	5	2	7	8	1	3
7	2	5	1	3	8	9	6	4
3	8	1	9	4	6	5	7	2
5	9	3	7	8	4	1	2	6
1	7	2	3	6	9	4	5	8
6	4	8	2	1	5	7	3	9
8	1	7	6	9	2	3	4	5
4	5	6	8	7	3	2	9	1
2	3	9	4	5	1	6	8	7

Solutions

163

1	6	8	2	5	4	7	9	3
5	4	2	9	3	7	6	8	1
3	7	9	8	1	6	4	2	5
6	9	1	5	4	8	2	3	7
4	8	5	3	7	2	9	1	6
7	2	3	1	6	9	8	5	4
9	3	6	4	8	1	5	7	2
8	1	4	7	2	5	3	6	9
2	5	7	6	9	3	1	4	8

164

3	9	5	8	7	4	2	1	6
8	1	6	9	5	2	7	3	4
4	2	7	3	6	1	8	5	9
9	7	1	6	3	8	4	2	5
2	8	3	7	4	5	6	9	1
5	6	4	2	1	9	3	8	7
6	5	8	1	2	7	9	4	3
1	3	2	4	9	6	5	7	8
7	4	9	5	8	3	1	6	2

165

4	9	6	1	7	5	2	3	8
3	7	5	2	8	6	1	4	9
8	2	1	9	3	4	5	7	6
9	6	3	8	5	1	4	2	7
7	4	2	3	6	9	8	5	1
5	1	8	7	4	2	9	6	3
6	8	4	5	1	3	7	9	2
1	3	9	4	2	7	6	8	5
2	5	7	6	9	8	3	1	4

166

6	4	9	3	1	2	7	8	5
3	7	5	9	8	4	6	2	1
1	2	8	5	6	7	4	9	3
7	5	6	2	4	3	8	1	9
4	8	1	6	5	9	2	3	7
2	9	3	8	7	1	5	4	6
8	1	7	4	9	5	3	6	2
5	6	2	1	3	8	9	7	4
9	3	4	7	2	6	1	5	8

167

7	2	1	8	3	5	9	6	4
3	4	5	1	6	9	2	7	8
6	8	9	7	2	4	1	5	3
8	5	2	9	7	6	3	4	1
4	3	6	2	1	8	5	9	7
1	9	7	5	4	3	6	8	2
9	1	4	6	8	2	7	3	5
2	6	8	3	5	7	4	1	9
5	7	3	4	9	1	8	2	6

168

6	5	7	2	1	9	3	4	8
4	8	3	6	7	5	1	2	9
2	9	1	4	3	8	7	6	5
9	7	6	8	2	1	4	5	3
8	1	2	5	4	3	6	9	7
5	3	4	9	6	7	2	8	1
3	2	8	7	5	4	9	1	6
1	6	9	3	8	2	5	7	4
7	4	5	1	9	6	8	3	2

Solutions

169

2	4	6	1	3	9	7	8	5
8	3	7	4	5	6	9	2	1
5	1	9	2	7	8	3	6	4
3	2	1	7	9	5	8	4	6
7	9	8	6	1	4	5	3	2
6	5	4	8	2	3	1	9	7
1	7	3	9	6	2	4	5	8
4	6	5	3	8	1	2	7	9
9	8	2	5	4	7	6	1	3

170

7	5	6	9	3	2	8	1	4
3	8	2	1	6	4	5	7	9
4	1	9	7	5	8	3	2	6
6	2	7	3	4	1	9	5	8
1	4	3	5	8	9	7	6	2
5	9	8	6	2	7	1	4	3
2	7	1	8	9	6	4	3	5
9	3	4	2	1	5	6	8	7
8	6	5	4	7	3	2	9	1

171

5	2	9	4	7	3	6	1	8
7	6	4	8	2	1	9	5	3
3	8	1	6	5	9	7	4	2
8	1	7	9	6	2	4	3	5
9	5	2	3	4	7	1	8	6
4	3	6	5	1	8	2	7	9
2	7	5	1	3	6	8	9	4
1	4	8	2	9	5	3	6	7
6	9	3	7	8	4	5	2	1

172

4	1	3	9	2	7	6	8	5
8	6	9	5	3	4	2	1	7
7	5	2	8	1	6	9	3	4
5	8	4	1	7	2	3	6	9
6	2	1	3	4	9	5	7	8
9	3	7	6	8	5	4	2	1
3	9	5	7	6	1	8	4	2
2	7	8	4	5	3	1	9	6
1	4	6	2	9	8	7	5	3

173

8	4	9	6	2	7	1	5	3
5	1	2	8	3	9	7	6	4
3	7	6	5	4	1	9	8	2
7	3	4	9	8	2	5	1	6
1	6	8	7	5	3	4	2	9
9	2	5	1	6	4	8	3	7
6	5	7	3	9	8	2	4	1
4	9	3	2	1	5	6	7	8
2	8	1	4	7	6	3	9	5

174

7	1	3	4	6	2	8	9	5
2	6	5	9	1	8	7	4	3
8	4	9	3	5	7	1	6	2
3	2	4	5	8	6	9	1	7
5	7	6	1	9	3	2	8	4
9	8	1	2	7	4	5	3	6
1	9	2	6	4	5	3	7	8
6	5	8	7	3	9	4	2	1
4	3	7	8	2	1	6	5	9

Solutions

175

1	9	5	3	8	6	4	7	2
2	4	6	5	9	7	1	3	8
8	3	7	1	4	2	5	6	9
5	8	3	9	1	4	7	2	6
7	1	4	2	6	8	3	9	5
6	2	9	7	5	3	8	1	4
3	5	2	8	7	9	6	4	1
9	6	8	4	3	1	2	5	7
4	7	1	6	2	5	9	8	3

176

2	1	9	6	3	8	7	5	4
4	7	6	5	1	9	2	8	3
3	8	5	4	7	2	9	6	1
6	4	1	8	9	5	3	2	7
5	2	7	3	6	4	8	1	9
9	3	8	7	2	1	5	4	6
8	9	4	1	5	3	6	7	2
1	6	3	2	8	7	4	9	5
7	5	2	9	4	6	1	3	8

177

1	4	6	7	3	2	5	8	9
9	5	7	8	6	1	4	2	3
8	2	3	5	4	9	6	7	1
5	6	1	4	9	8	2	3	7
4	9	8	2	7	3	1	6	5
7	3	2	1	5	6	8	9	4
6	7	5	3	2	4	9	1	8
3	8	9	6	1	5	7	4	2
2	1	4	9	8	7	3	5	6

178

9	1	3	4	6	5	8	7	2
6	5	7	2	9	8	3	4	1
4	2	8	1	3	7	6	5	9
8	9	2	6	5	1	4	3	7
5	6	1	7	4	3	2	9	8
7	3	4	8	2	9	1	6	5
3	7	6	5	1	2	9	8	4
2	4	5	9	8	6	7	1	3
1	8	9	3	7	4	5	2	6

179

1	4	7	8	6	2	5	3	9
6	3	5	1	7	9	4	2	8
9	2	8	3	5	4	6	7	1
7	1	4	6	3	5	8	9	2
3	5	6	9	2	8	7	1	4
8	9	2	4	1	7	3	6	5
4	6	1	5	9	3	2	8	7
2	8	3	7	4	1	9	5	6
5	7	9	2	8	6	1	4	3

180

4	8	6	2	5	9	3	7	1
5	1	9	6	3	7	8	2	4
2	7	3	1	8	4	5	9	6
6	5	8	7	4	1	2	3	9
3	9	7	8	6	2	4	1	5
1	4	2	5	9	3	7	6	8
9	6	4	3	7	5	1	8	2
8	3	1	4	2	6	9	5	7
7	2	5	9	1	8	6	4	3

Solutions

181

2	3	8	4	6	1	5	7	9
4	6	9	8	5	7	3	1	2
5	1	7	3	2	9	4	6	8
3	8	2	7	4	5	1	9	6
1	4	6	2	9	3	8	5	7
7	9	5	1	8	6	2	4	3
6	7	3	5	1	8	9	2	4
9	2	1	6	3	4	7	8	5
8	5	4	9	7	2	6	3	1

182

6	5	2	7	1	8	3	9	4
9	1	7	4	5	3	8	2	6
8	4	3	9	2	6	1	7	5
7	8	6	3	9	4	2	5	1
5	2	9	6	8	1	7	4	3
4	3	1	2	7	5	9	6	8
3	9	8	5	4	2	6	1	7
2	6	4	1	3	7	5	8	9
1	7	5	8	6	9	4	3	2

183

1	7	3	2	5	9	6	8	4
9	2	4	8	6	7	3	1	5
8	6	5	1	3	4	9	2	7
2	9	7	6	4	1	5	3	8
4	5	1	3	2	8	7	6	9
3	8	6	7	9	5	1	4	2
7	1	2	5	8	6	4	9	3
5	3	9	4	1	2	8	7	6
6	4	8	9	7	3	2	5	1

184

1	3	2	4	6	9	7	8	5
5	7	8	3	1	2	6	4	9
4	9	6	7	5	8	2	3	1
6	5	4	9	7	1	8	2	3
2	8	9	6	3	4	5	1	7
3	1	7	8	2	5	9	6	4
8	2	5	1	9	3	4	7	6
7	4	3	5	8	6	1	9	2
9	6	1	2	4	7	3	5	8

185

1	3	8	6	7	4	5	9	2
4	9	7	2	5	1	8	6	3
6	2	5	3	9	8	1	7	4
5	1	6	7	4	2	3	8	9
9	8	3	1	6	5	2	4	7
7	4	2	8	3	9	6	1	5
2	5	1	9	8	7	4	3	6
8	6	9	4	2	3	7	5	1
3	7	4	5	1	6	9	2	8

186

5	7	3	1	6	9	2	8	4
8	4	9	7	3	2	5	6	1
2	6	1	8	5	4	3	9	7
7	1	8	6	4	3	9	5	2
9	3	2	5	8	1	7	4	6
4	5	6	2	9	7	1	3	8
6	9	7	3	2	8	4	1	5
3	2	5	4	1	6	8	7	9
1	8	4	9	7	5	6	2	3

Solutions

187

6	4	3	8	1	9	7	5	2
5	8	9	2	6	7	1	3	4
1	2	7	4	5	3	8	9	6
9	6	2	3	8	5	4	1	7
7	1	5	9	4	6	2	8	3
8	3	4	7	2	1	5	6	9
3	5	1	6	7	2	9	4	8
2	9	8	1	3	4	6	7	5
4	7	6	5	9	8	3	2	1

188

3	6	8	2	9	4	7	5	1
9	7	1	3	6	5	8	2	4
5	4	2	7	8	1	9	6	3
4	8	3	1	7	2	5	9	6
7	1	9	4	5	6	3	8	2
6	2	5	8	3	9	1	4	7
1	5	6	9	2	3	4	7	8
2	3	7	5	4	8	6	1	9
8	9	4	6	1	7	2	3	5

189

4	8	5	6	1	3	7	9	2
6	3	9	7	8	2	4	1	5
1	2	7	4	9	5	6	8	3
9	7	3	1	5	6	2	4	8
5	6	2	8	3	4	1	7	9
8	4	1	9	2	7	3	5	6
2	9	6	5	4	1	8	3	7
7	1	8	3	6	9	5	2	4
3	5	4	2	7	8	9	6	1

190

2	1	6	3	5	4	9	7	8
3	4	5	7	9	8	6	2	1
7	8	9	2	6	1	5	3	4
4	6	2	8	3	5	7	1	9
8	5	3	1	7	9	2	4	6
1	9	7	4	2	6	3	8	5
5	2	4	9	8	3	1	6	7
9	3	8	6	1	7	4	5	2
6	7	1	5	4	2	8	9	3

191

5	4	8	2	6	7	1	9	3
1	2	3	8	4	9	5	7	6
9	6	7	3	1	5	4	2	8
6	9	1	4	8	3	2	5	7
4	7	5	9	2	6	8	3	1
3	8	2	7	5	1	6	4	9
2	3	6	1	7	4	9	8	5
7	1	4	5	9	8	3	6	2
8	5	9	6	3	2	7	1	4

192

4	2	6	1	7	3	9	5	8
7	9	1	5	4	8	2	6	3
3	8	5	6	9	2	1	4	7
5	4	8	3	6	1	7	9	2
6	7	9	2	8	4	3	1	5
1	3	2	7	5	9	6	8	4
8	1	4	9	3	7	5	2	6
9	5	7	8	2	6	4	3	1
2	6	3	4	1	5	8	7	9

Solutions

193

1	6	4	8	7	2	3	5	9
9	7	5	4	6	3	2	8	1
8	3	2	9	5	1	4	6	7
6	4	7	3	9	5	1	2	8
3	5	9	1	2	8	6	7	4
2	8	1	7	4	6	9	3	5
7	1	6	5	3	9	8	4	2
5	2	8	6	1	4	7	9	3
4	9	3	2	8	7	5	1	6

194

3	5	1	8	4	6	7	2	9
8	4	6	9	7	2	1	5	3
2	9	7	1	5	3	8	4	6
7	2	9	4	1	8	6	3	5
5	6	4	2	3	7	9	1	8
1	3	8	5	6	9	2	7	4
9	1	5	7	8	4	3	6	2
4	8	3	6	2	1	5	9	7
6	7	2	3	9	5	4	8	1

195

9	8	6	3	2	5	1	4	7
5	1	4	7	8	6	9	3	2
2	3	7	4	1	9	5	6	8
3	7	8	2	5	4	6	9	1
6	5	1	8	9	3	2	7	4
4	9	2	1	6	7	8	5	3
1	4	9	5	3	2	7	8	6
7	2	5	6	4	8	3	1	9
8	6	3	9	7	1	4	2	5

196

9	4	8	1	7	2	3	5	6
3	1	6	5	8	9	2	7	4
2	7	5	3	4	6	8	9	1
6	9	7	2	5	1	4	8	3
8	2	3	9	6	4	7	1	5
1	5	4	7	3	8	9	6	2
4	3	9	6	1	7	5	2	8
7	8	1	4	2	5	6	3	9
5	6	2	8	9	3	1	4	7

197

4	9	5	7	2	1	6	3	8
2	7	1	8	3	6	4	9	5
8	3	6	5	9	4	7	1	2
5	6	8	3	4	7	9	2	1
9	4	3	1	6	2	5	8	7
7	1	2	9	8	5	3	6	4
1	2	4	6	7	3	8	5	9
3	8	7	2	5	9	1	4	6
6	5	9	4	1	8	2	7	3

198

5	2	8	7	3	1	4	9	6
3	4	9	5	2	6	7	1	8
1	6	7	8	9	4	2	3	5
9	3	2	1	6	7	5	8	4
7	1	4	9	8	5	6	2	3
8	5	6	3	4	2	9	7	1
2	7	1	6	5	8	3	4	9
4	9	5	2	1	3	8	6	7
6	8	3	4	7	9	1	5	2

Solutions

199

2	1	5	7	4	8	3	6	9
6	8	7	5	3	9	4	2	1
9	4	3	2	6	1	5	7	8
1	7	4	6	8	3	9	5	2
5	9	8	4	7	2	1	3	6
3	6	2	9	1	5	8	4	7
8	2	1	3	5	6	7	9	4
7	3	6	8	9	4	2	1	5
4	5	9	1	2	7	6	8	3

200

8	3	4	2	7	9	5	1	6
2	9	6	5	1	4	7	8	3
5	7	1	3	6	8	2	9	4
1	8	9	7	4	3	6	2	5
6	4	5	9	2	1	8	3	7
7	2	3	6	8	5	9	4	1
3	6	7	1	9	2	4	5	8
4	5	2	8	3	7	1	6	9
9	1	8	4	5	6	3	7	2

201

9	2	3	1	5	7	4	6	8
4	1	6	8	9	3	2	5	7
8	5	7	4	6	2	1	3	9
1	9	8	6	3	4	5	7	2
6	4	2	7	1	5	9	8	3
3	7	5	9	2	8	6	4	1
2	6	4	3	7	9	8	1	5
7	8	9	5	4	1	3	2	6
5	3	1	2	8	6	7	9	4

202

6	7	2	3	9	5	1	8	4
8	1	3	7	4	6	2	5	9
9	4	5	1	2	8	7	3	6
7	3	4	9	6	2	8	1	5
5	6	9	8	7	1	3	4	2
1	2	8	5	3	4	9	6	7
2	8	1	4	5	7	6	9	3
3	5	6	2	1	9	4	7	8
4	9	7	6	8	3	5	2	1

203

4	6	8	3	7	9	2	1	5
9	3	1	4	5	2	7	8	6
7	2	5	6	8	1	4	3	9
5	9	3	7	2	6	1	4	8
2	7	6	8	1	4	5	9	3
1	8	4	5	9	3	6	2	7
8	5	9	1	4	7	3	6	2
3	4	2	9	6	5	8	7	1
6	1	7	2	3	8	9	5	4

204

2	5	4	3	6	7	8	9	1
9	6	3	8	5	1	4	2	7
8	1	7	2	4	9	3	5	6
4	2	9	6	1	8	7	3	5
7	3	6	5	9	2	1	8	4
1	8	5	4	7	3	9	6	2
6	7	8	9	2	4	5	1	3
3	4	2	1	8	5	6	7	9
5	9	1	7	3	6	2	4	8

Solutions

205

9	1	2	5	3	6	4	7	8
6	5	4	8	7	2	9	3	1
3	7	8	1	4	9	6	5	2
4	9	1	3	2	8	7	6	5
5	8	7	9	6	1	2	4	3
2	6	3	4	5	7	1	8	9
1	4	9	6	8	3	5	2	7
7	3	6	2	1	5	8	9	4
8	2	5	7	9	4	3	1	6

206

6	4	7	8	9	1	3	2	5
1	5	9	7	3	2	4	6	8
2	3	8	5	6	4	1	7	9
5	1	2	4	7	6	9	8	3
8	7	6	9	5	3	2	4	1
4	9	3	2	1	8	7	5	6
7	8	5	3	2	9	6	1	4
9	2	1	6	4	5	8	3	7
3	6	4	1	8	7	5	9	2

207

4	3	1	5	8	2	7	9	6
7	2	5	3	6	9	1	4	8
6	8	9	4	1	7	5	2	3
8	1	6	2	9	3	4	5	7
3	9	7	6	5	4	2	8	1
5	4	2	1	7	8	6	3	9
2	7	4	9	3	1	8	6	5
1	6	3	8	2	5	9	7	4
9	5	8	7	4	6	3	1	2

208

4	9	6	2	5	3	7	8	1
3	7	2	9	8	1	4	6	5
1	8	5	6	7	4	3	9	2
6	4	7	1	3	9	5	2	8
5	3	8	7	6	2	1	4	9
2	1	9	5	4	8	6	7	3
8	5	4	3	2	6	9	1	7
9	2	3	4	1	7	8	5	6
7	6	1	8	9	5	2	3	4

209

1	4	2	9	6	5	8	3	7
7	6	3	8	2	1	5	9	4
8	9	5	7	3	4	1	6	2
9	8	1	6	4	7	2	5	3
2	7	4	3	5	8	9	1	6
5	3	6	1	9	2	7	4	8
4	5	9	2	7	6	3	8	1
6	1	7	5	8	3	4	2	9
3	2	8	4	1	9	6	7	5

210

1	2	6	9	8	7	3	4	5
3	4	5	6	1	2	9	8	7
7	9	8	5	4	3	6	1	2
5	6	1	7	3	8	4	2	9
8	3	9	2	6	4	7	5	1
4	7	2	1	5	9	8	6	3
6	1	7	4	9	5	2	3	8
9	5	3	8	2	6	1	7	4
2	8	4	3	7	1	5	9	6

Solutions

211

7	9	4	2	8	1	5	6	3
5	1	6	3	9	4	7	2	8
3	2	8	6	7	5	1	4	9
8	4	3	7	1	2	6	9	5
1	6	5	9	4	3	8	7	2
2	7	9	5	6	8	3	1	4
9	3	1	8	2	7	4	5	6
6	8	7	4	5	9	2	3	1
4	5	2	1	3	6	9	8	7

212

6	8	5	4	2	3	9	7	1
9	2	7	5	1	6	8	4	3
3	1	4	7	8	9	6	2	5
4	6	2	9	5	8	1	3	7
8	3	1	6	7	2	5	9	4
7	5	9	3	4	1	2	6	8
1	9	8	2	3	4	7	5	6
2	7	3	8	6	5	4	1	9
5	4	6	1	9	7	3	8	2

213

8	3	4	6	7	1	2	5	9
7	2	5	3	9	4	8	1	6
9	6	1	2	8	5	4	7	3
2	1	6	4	3	8	7	9	5
4	8	7	5	6	9	3	2	1
5	9	3	1	2	7	6	8	4
6	4	9	7	5	2	1	3	8
3	5	2	8	1	6	9	4	7
1	7	8	9	4	3	5	6	2

214

1	9	8	2	7	3	4	6	5
6	4	7	1	5	8	9	2	3
3	5	2	6	4	9	8	1	7
8	1	3	5	6	4	7	9	2
9	2	4	3	8	7	6	5	1
7	6	5	9	1	2	3	8	4
2	8	1	4	3	6	5	7	9
4	7	9	8	2	5	1	3	6
5	3	6	7	9	1	2	4	8

215

6	3	2	9	8	1	4	7	5
1	7	5	4	3	6	2	8	9
4	8	9	5	2	7	3	1	6
8	4	1	3	6	9	7	5	2
2	5	7	1	4	8	6	9	3
3	9	6	7	5	2	1	4	8
9	1	8	2	7	3	5	6	4
5	6	3	8	1	4	9	2	7
7	2	4	6	9	5	8	3	1

216

6	2	3	1	5	4	8	9	7
8	7	5	9	2	6	1	3	4
4	9	1	7	3	8	2	6	5
2	1	9	3	6	7	5	4	8
3	8	7	4	1	5	6	2	9
5	6	4	2	8	9	3	7	1
7	5	6	8	4	2	9	1	3
1	4	8	6	9	3	7	5	2
9	3	2	5	7	1	4	8	6

Solutions

217

6	4	2	8	3	5	9	7	1
3	1	5	7	2	9	4	6	8
8	9	7	6	1	4	5	2	3
7	2	3	5	9	8	6	1	4
4	5	8	1	6	7	2	3	9
1	6	9	2	4	3	7	8	5
5	8	1	9	7	6	3	4	2
9	7	4	3	8	2	1	5	6
2	3	6	4	5	1	8	9	7

218

7	1	2	5	9	6	4	8	3
4	5	6	3	7	8	2	1	9
9	3	8	2	1	4	6	7	5
3	6	9	7	8	5	1	4	2
2	8	7	1	4	3	9	5	6
1	4	5	9	6	2	7	3	8
5	9	3	4	2	1	8	6	7
6	2	1	8	3	7	5	9	4
8	7	4	6	5	9	3	2	1

219

5	4	3	9	1	6	8	2	7
1	8	6	7	2	3	9	4	5
2	9	7	8	4	5	1	3	6
3	5	2	6	8	4	7	1	9
8	7	1	5	9	2	4	6	3
9	6	4	3	7	1	2	5	8
7	2	5	1	3	9	6	8	4
4	3	8	2	6	7	5	9	1
6	1	9	4	5	8	3	7	2

220

8	1	2	7	4	9	5	3	6
5	7	6	1	3	2	8	9	4
9	4	3	5	8	6	7	1	2
1	5	4	8	2	3	6	7	9
3	6	9	4	7	1	2	8	5
7	2	8	6	9	5	3	4	1
6	9	1	3	5	8	4	2	7
2	8	7	9	6	4	1	5	3
4	3	5	2	1	7	9	6	8

221

9	2	6	5	8	3	7	1	4
8	7	4	6	1	2	9	3	5
1	3	5	4	9	7	2	6	8
6	4	7	3	5	1	8	9	2
3	9	1	2	4	8	6	5	7
2	5	8	7	6	9	1	4	3
7	1	9	8	3	5	4	2	6
4	8	3	9	2	6	5	7	1
5	6	2	1	7	4	3	8	9

222

6	5	2	4	7	8	1	9	3
1	4	7	6	9	3	8	2	5
9	3	8	1	2	5	4	6	7
3	8	5	9	6	4	2	7	1
2	6	4	7	8	1	3	5	9
7	9	1	3	5	2	6	8	4
4	2	9	5	1	6	7	3	8
8	7	3	2	4	9	5	1	6
5	1	6	8	3	7	9	4	2

Solutions

223

3	8	5	2	7	1	9	4	6
9	2	6	4	8	3	1	7	5
7	1	4	5	6	9	8	3	2
2	9	3	1	4	7	6	5	8
5	4	7	6	2	8	3	1	9
1	6	8	3	9	5	4	2	7
8	7	1	9	5	4	2	6	3
6	3	9	7	1	2	5	8	4
4	5	2	8	3	6	7	9	1

224

3	7	1	4	5	8	9	6	2
6	5	2	7	3	9	4	8	1
4	9	8	2	6	1	3	5	7
8	3	7	1	4	2	5	9	6
1	4	6	9	8	5	2	7	3
9	2	5	3	7	6	8	1	4
5	8	4	6	1	3	7	2	9
7	1	9	5	2	4	6	3	8
2	6	3	8	9	7	1	4	5

225

3	8	4	9	2	6	7	1	5
7	5	9	1	4	3	8	6	2
6	1	2	7	8	5	3	4	9
8	2	7	4	9	1	5	3	6
5	4	6	8	3	7	2	9	1
9	3	1	5	6	2	4	7	8
2	9	8	3	1	4	6	5	7
1	7	3	6	5	8	9	2	4
4	6	5	2	7	9	1	8	3

226

7	1	8	3	2	9	6	5	4
6	9	5	1	7	4	2	3	8
2	3	4	8	5	6	1	9	7
9	6	3	7	8	1	4	2	5
8	2	7	4	9	5	3	1	6
4	5	1	2	6	3	8	7	9
3	8	9	5	4	2	7	6	1
1	7	6	9	3	8	5	4	2
5	4	2	6	1	7	9	8	3

227

9	7	2	8	3	1	6	4	5
3	6	1	4	5	9	7	2	8
4	8	5	6	2	7	1	3	9
1	9	4	2	8	3	5	7	6
2	5	8	7	9	6	3	1	4
7	3	6	5	1	4	9	8	2
8	1	7	9	4	5	2	6	3
5	4	3	1	6	2	8	9	7
6	2	9	3	7	8	4	5	1

228

5	1	4	7	9	6	8	3	2
8	9	6	3	2	1	7	4	5
7	3	2	4	5	8	9	1	6
9	2	8	5	7	4	3	6	1
6	4	3	8	1	9	5	2	7
1	5	7	2	6	3	4	9	8
2	8	9	1	3	7	6	5	4
3	7	1	6	4	5	2	8	9
4	6	5	9	8	2	1	7	3

Solutions

229

2	8	4	6	3	1	7	9	5
3	1	6	7	9	5	4	8	2
7	9	5	2	8	4	1	6	3
5	4	8	9	2	7	3	1	6
6	2	7	1	4	3	8	5	9
1	3	9	8	5	6	2	4	7
4	5	1	3	7	9	6	2	8
9	7	2	4	6	8	5	3	1
8	6	3	5	1	2	9	7	4

230

1	8	3	4	6	7	2	9	5
4	5	7	9	1	2	3	6	8
9	2	6	5	3	8	7	4	1
2	9	8	3	7	1	4	5	6
5	6	1	2	4	9	8	7	3
3	7	4	8	5	6	9	1	2
8	1	9	7	2	5	6	3	4
7	3	5	6	8	4	1	2	9
6	4	2	1	9	3	5	8	7

231

3	7	5	8	1	2	6	9	4
9	4	2	7	3	6	1	5	8
1	8	6	9	5	4	3	2	7
5	9	1	3	4	7	2	8	6
4	6	3	1	2	8	5	7	9
7	2	8	6	9	5	4	1	3
6	5	4	2	7	9	8	3	1
2	1	9	4	8	3	7	6	5
8	3	7	5	6	1	9	4	2

232

3	7	9	6	4	8	1	5	2
6	1	2	5	3	9	8	4	7
5	4	8	2	1	7	3	6	9
1	8	6	7	2	3	5	9	4
4	9	7	8	5	1	6	2	3
2	3	5	9	6	4	7	8	1
8	5	3	1	9	2	4	7	6
7	2	1	4	8	6	9	3	5
9	6	4	3	7	5	2	1	8

233

2	3	5	6	4	9	8	7	1
4	1	6	8	7	2	3	9	5
9	7	8	1	3	5	4	2	6
5	4	9	7	2	6	1	8	3
7	6	1	3	9	8	2	5	4
3	8	2	4	5	1	9	6	7
8	9	4	5	6	3	7	1	2
6	2	7	9	1	4	5	3	8
1	5	3	2	8	7	6	4	9

234

6	3	7	5	1	9	8	2	4
4	9	2	3	6	8	5	1	7
8	1	5	4	2	7	3	6	9
7	8	4	1	3	6	9	5	2
1	5	3	8	9	2	7	4	6
9	2	6	7	4	5	1	8	3
3	4	9	6	5	1	2	7	8
5	6	8	2	7	3	4	9	1
2	7	1	9	8	4	6	3	5

Solutions

235

9	6	4	7	5	8	3	1	2
7	2	8	1	4	3	6	9	5
5	3	1	9	2	6	8	7	4
8	4	9	6	1	2	7	5	3
6	1	7	3	9	5	2	4	8
3	5	2	8	7	4	9	6	1
1	9	3	5	8	7	4	2	6
4	7	6	2	3	1	5	8	9
2	8	5	4	6	9	1	3	7

236

2	5	4	9	7	3	8	1	6
9	8	3	6	2	1	4	5	7
7	6	1	4	5	8	2	9	3
8	2	5	3	9	6	1	7	4
4	7	6	1	8	5	9	3	2
3	1	9	7	4	2	5	6	8
5	3	2	8	1	7	6	4	9
6	4	8	5	3	9	7	2	1
1	9	7	2	6	4	3	8	5

237

2	7	4	6	1	5	9	3	8
9	3	6	4	8	2	7	1	5
1	5	8	3	7	9	2	6	4
3	1	7	2	5	4	8	9	6
4	8	9	1	6	3	5	2	7
5	6	2	8	9	7	1	4	3
7	4	3	5	2	1	6	8	9
6	9	1	7	4	8	3	5	2
8	2	5	9	3	6	4	7	1

238

1	4	7	5	2	6	9	8	3
9	8	5	3	1	4	6	2	7
2	3	6	8	7	9	5	4	1
3	6	2	1	4	7	8	5	9
7	1	4	9	8	5	3	6	2
8	5	9	2	6	3	1	7	4
5	2	1	7	9	8	4	3	6
6	7	3	4	5	1	2	9	8
4	9	8	6	3	2	7	1	5

239

1	2	4	8	9	5	6	7	3
7	5	8	3	1	6	9	4	2
6	9	3	7	4	2	8	1	5
2	1	5	6	7	9	3	8	4
9	3	6	4	5	8	7	2	1
4	8	7	2	3	1	5	6	9
8	4	1	9	6	3	2	5	7
3	7	2	5	8	4	1	9	6
5	6	9	1	2	7	4	3	8

240

7	6	8	3	1	5	2	9	4
5	9	2	8	7	4	1	3	6
1	4	3	9	2	6	7	5	8
3	7	9	6	5	1	8	4	2
8	2	6	4	9	3	5	1	7
4	1	5	7	8	2	9	6	3
9	5	4	2	3	7	6	8	1
2	3	1	5	6	8	4	7	9
6	8	7	1	4	9	3	2	5

Solutions

241

6	2	7	1	3	5	8	4	9
3	5	9	8	4	6	2	7	1
4	8	1	9	7	2	6	5	3
5	1	4	6	8	7	3	9	2
2	6	3	5	9	4	7	1	8
7	9	8	2	1	3	4	6	5
8	4	6	3	5	1	9	2	7
9	7	5	4	2	8	1	3	6
1	3	2	7	6	9	5	8	4

242

4	7	3	9	5	6	8	2	1
1	8	2	4	7	3	6	9	5
5	9	6	2	1	8	4	7	3
3	4	7	1	9	2	5	8	6
8	1	5	3	6	7	2	4	9
6	2	9	5	8	4	1	3	7
7	3	8	6	4	5	9	1	2
2	6	1	8	3	9	7	5	4
9	5	4	7	2	1	3	6	8

243

5	7	3	6	9	2	1	8	4
2	1	8	7	5	4	6	9	3
9	6	4	8	3	1	7	5	2
1	9	5	2	8	3	4	6	7
3	8	6	5	4	7	2	1	9
4	2	7	9	1	6	8	3	5
7	5	9	4	6	8	3	2	1
8	4	1	3	2	5	9	7	6
6	3	2	1	7	9	5	4	8

244

2	5	6	4	3	1	8	7	9
8	7	1	6	9	2	5	3	4
9	3	4	7	5	8	2	6	1
3	8	7	5	1	4	9	2	6
1	9	5	2	8	6	7	4	3
6	4	2	9	7	3	1	8	5
5	6	8	3	2	9	4	1	7
7	1	3	8	4	5	6	9	2
4	2	9	1	6	7	3	5	8

245

3	9	8	5	1	4	6	2	7
2	1	4	6	8	7	3	5	9
7	6	5	2	9	3	4	1	8
9	2	7	4	5	1	8	3	6
5	4	1	3	6	8	7	9	2
6	8	3	7	2	9	5	4	1
1	7	9	8	3	5	2	6	4
8	5	6	9	4	2	1	7	3
4	3	2	1	7	6	9	8	5

246

9	7	1	8	3	6	5	2	4
6	5	8	9	2	4	1	3	7
4	2	3	5	7	1	9	8	6
5	1	7	4	8	2	6	9	3
3	9	6	1	5	7	2	4	8
8	4	2	3	6	9	7	1	5
1	3	4	6	9	5	8	7	2
7	6	9	2	4	8	3	5	1
2	8	5	7	1	3	4	6	9

Solutions

247

5	9	6	4	7	1	3	8	2
3	2	4	9	8	5	1	6	7
7	8	1	3	6	2	9	5	4
2	4	7	6	1	8	5	9	3
9	6	5	7	4	3	2	1	8
8	1	3	2	5	9	7	4	6
6	3	8	5	9	7	4	2	1
4	7	9	1	2	6	8	3	5
1	5	2	8	3	4	6	7	9

248

5	1	8	7	9	6	3	4	2
2	9	4	1	3	5	8	6	7
3	7	6	2	8	4	9	5	1
9	8	1	3	4	2	5	7	6
4	5	7	8	6	1	2	3	9
6	3	2	9	5	7	1	8	4
8	2	9	6	7	3	4	1	5
7	4	3	5	1	9	6	2	8
1	6	5	4	2	8	7	9	3

249

3	5	7	2	6	1	9	8	4
1	2	8	5	9	4	6	3	7
9	4	6	8	3	7	2	1	5
2	7	3	4	1	5	8	6	9
5	9	1	6	2	8	7	4	3
8	6	4	9	7	3	5	2	1
7	8	5	1	4	6	3	9	2
6	1	2	3	5	9	4	7	8
4	3	9	7	8	2	1	5	6

250

8	9	4	7	1	2	5	3	6
7	6	5	3	9	4	1	8	2
2	1	3	5	8	6	4	9	7
1	3	2	9	4	8	7	6	5
4	8	9	6	5	7	2	1	3
6	5	7	1	2	3	8	4	9
9	7	1	8	6	5	3	2	4
3	2	8	4	7	9	6	5	1
5	4	6	2	3	1	9	7	8

251

7	3	8	6	2	5	9	1	4
4	1	6	8	7	9	2	5	3
2	9	5	1	4	3	8	7	6
1	2	7	5	8	6	3	4	9
9	6	3	2	1	4	5	8	7
8	5	4	3	9	7	6	2	1
5	4	1	9	3	2	7	6	8
3	7	2	4	6	8	1	9	5
6	8	9	7	5	1	4	3	2

252

3	5	1	6	4	9	8	7	2
7	2	4	8	3	1	5	9	6
8	9	6	7	2	5	1	3	4
4	3	2	9	8	6	7	1	5
6	7	9	1	5	2	4	8	3
1	8	5	3	7	4	6	2	9
9	6	3	5	1	8	2	4	7
2	1	7	4	6	3	9	5	8
5	4	8	2	9	7	3	6	1

Solutions

253

4	7	6	1	2	9	3	8	5
1	5	3	4	6	8	2	9	7
2	9	8	5	7	3	4	1	6
7	6	2	3	1	5	9	4	8
5	3	4	9	8	6	1	7	2
9	8	1	2	4	7	6	5	3
8	1	7	6	3	4	5	2	9
3	2	5	8	9	1	7	6	4
6	4	9	7	5	2	8	3	1

254

9	4	2	8	3	7	6	1	5
1	5	6	9	2	4	3	8	7
8	7	3	1	6	5	2	9	4
7	6	1	5	9	2	8	4	3
5	2	9	4	8	3	1	7	6
4	3	8	7	1	6	9	5	2
3	1	7	6	5	9	4	2	8
2	8	4	3	7	1	5	6	9
6	9	5	2	4	8	7	3	1

255

7	2	1	5	4	8	6	9	3
6	8	5	2	3	9	1	7	4
3	4	9	6	1	7	8	5	2
8	9	7	3	5	1	4	2	6
2	6	3	7	8	4	5	1	9
1	5	4	9	6	2	3	8	7
5	7	8	4	9	6	2	3	1
4	3	2	1	7	5	9	6	8
9	1	6	8	2	3	7	4	5

256

4	3	5	2	1	6	7	8	9
7	8	2	9	4	3	5	6	1
1	9	6	8	5	7	2	4	3
2	6	1	7	9	8	3	5	4
3	4	7	5	6	2	9	1	8
8	5	9	1	3	4	6	2	7
6	7	3	4	2	1	8	9	5
9	1	8	6	7	5	4	3	2
5	2	4	3	8	9	1	7	6

257

2	1	4	6	5	8	7	3	9
9	8	7	3	2	1	5	4	6
5	6	3	4	7	9	8	2	1
8	5	9	1	4	7	2	6	3
4	2	6	9	3	5	1	7	8
3	7	1	8	6	2	9	5	4
6	9	5	2	8	3	4	1	7
1	3	2	7	9	4	6	8	5
7	4	8	5	1	6	3	9	2

258

7	1	2	8	9	3	5	4	6
8	6	5	4	1	7	9	3	2
4	3	9	5	6	2	1	8	7
3	9	7	6	2	1	8	5	4
6	2	4	9	8	5	7	1	3
1	5	8	3	7	4	6	2	9
5	7	3	1	4	9	2	6	8
9	8	1	2	3	6	4	7	5
2	4	6	7	5	8	3	9	1

Solutions

259

3	5	4	2	6	7	9	1	8
6	8	1	9	5	4	7	2	3
9	7	2	3	8	1	6	4	5
5	6	7	1	2	8	4	3	9
8	2	3	4	9	5	1	7	6
4	1	9	6	7	3	5	8	2
7	9	5	8	4	2	3	6	1
1	4	8	5	3	6	2	9	7
2	3	6	7	1	9	8	5	4

260

1	6	4	2	7	9	3	5	8
2	3	8	6	4	5	9	1	7
9	7	5	3	8	1	6	4	2
5	9	2	8	3	6	4	7	1
6	4	3	1	2	7	5	8	9
8	1	7	9	5	4	2	6	3
7	2	6	5	1	3	8	9	4
3	5	1	4	9	8	7	2	6
4	8	9	7	6	2	1	3	5

261

1	7	2	3	4	8	5	6	9
5	6	3	7	9	2	8	1	4
8	4	9	6	1	5	7	2	3
9	5	8	2	3	1	4	7	6
7	2	1	4	5	6	9	3	8
6	3	4	8	7	9	1	5	2
2	1	5	9	8	3	6	4	7
3	8	7	5	6	4	2	9	1
4	9	6	1	2	7	3	8	5

262

1	3	9	2	7	5	8	6	4
4	5	2	6	3	8	9	7	1
7	8	6	9	1	4	3	2	5
2	7	5	4	6	9	1	3	8
6	1	3	8	5	7	4	9	2
9	4	8	1	2	3	6	5	7
8	6	4	7	9	2	5	1	3
5	9	7	3	4	1	2	8	6
3	2	1	5	8	6	7	4	9

263

1	3	9	6	7	5	8	4	2
6	7	8	4	2	1	3	5	9
5	4	2	8	3	9	1	6	7
2	5	6	9	4	3	7	8	1
3	1	7	5	8	6	9	2	4
8	9	4	2	1	7	5	3	6
9	2	3	7	5	4	6	1	8
7	8	5	1	6	2	4	9	3
4	6	1	3	9	8	2	7	5

264

8	5	9	1	2	3	6	4	7
4	1	6	8	5	7	3	2	9
3	7	2	6	4	9	1	5	8
2	8	1	7	9	4	5	6	3
6	4	3	2	8	5	7	9	1
5	9	7	3	6	1	4	8	2
9	3	8	5	1	6	2	7	4
1	6	4	9	7	2	8	3	5
7	2	5	4	3	8	9	1	6

Solutions

265

1	6	2	9	7	5	8	4	3
8	5	9	4	3	2	6	7	1
3	7	4	1	8	6	5	2	9
6	3	1	8	2	4	7	9	5
7	2	8	5	6	9	1	3	4
4	9	5	7	1	3	2	8	6
9	8	6	3	5	7	4	1	2
5	4	7	2	9	1	3	6	8
2	1	3	6	4	8	9	5	7

266

4	3	2	8	1	5	6	9	7
7	8	9	3	4	6	5	2	1
6	1	5	9	2	7	8	4	3
1	2	4	7	8	9	3	6	5
3	9	7	5	6	4	2	1	8
8	5	6	1	3	2	9	7	4
2	6	8	4	7	3	1	5	9
9	7	1	6	5	8	4	3	2
5	4	3	2	9	1	7	8	6

267

9	2	1	7	5	6	3	8	4
7	4	3	2	8	1	9	5	6
6	5	8	4	3	9	2	1	7
3	7	6	5	1	4	8	9	2
4	1	5	8	9	2	7	6	3
8	9	2	3	6	7	5	4	1
2	8	7	1	4	5	6	3	9
1	3	9	6	7	8	4	2	5
5	6	4	9	2	3	1	7	8

268

6	1	5	7	3	2	9	8	4
2	8	4	9	5	6	1	7	3
3	9	7	4	8	1	6	5	2
7	4	8	2	9	3	5	6	1
5	6	9	8	1	4	3	2	7
1	3	2	6	7	5	8	4	9
8	7	1	5	2	9	4	3	6
9	5	6	3	4	7	2	1	8
4	2	3	1	6	8	7	9	5

269

3	1	5	6	2	7	8	9	4
6	2	7	9	4	8	3	1	5
9	4	8	5	1	3	2	7	6
5	8	2	7	3	4	9	6	1
4	3	6	1	8	9	7	5	2
7	9	1	2	5	6	4	8	3
2	5	9	3	7	1	6	4	8
1	6	4	8	9	2	5	3	7
8	7	3	4	6	5	1	2	9

270

2	6	3	8	1	9	5	4	7
9	7	4	3	6	5	8	2	1
1	8	5	2	4	7	3	9	6
4	9	6	1	2	8	7	3	5
7	3	8	9	5	4	6	1	2
5	2	1	6	7	3	4	8	9
8	1	7	4	9	6	2	5	3
3	5	2	7	8	1	9	6	4
6	4	9	5	3	2	1	7	8

Solutions

271

2	8	3	7	6	9	4	5	1
4	6	1	3	5	2	9	7	8
9	5	7	1	8	4	6	3	2
7	1	9	2	3	8	5	4	6
6	2	8	4	7	5	1	9	3
3	4	5	9	1	6	8	2	7
5	7	2	6	4	1	3	8	9
1	3	4	8	9	7	2	6	5
8	9	6	5	2	3	7	1	4

272

7	9	3	1	2	8	5	6	4
6	8	5	7	3	4	1	2	9
1	2	4	5	9	6	7	3	8
2	3	7	4	6	9	8	1	5
8	1	9	2	5	7	3	4	6
5	4	6	3	8	1	2	9	7
3	7	8	6	4	2	9	5	1
9	6	2	8	1	5	4	7	3
4	5	1	9	7	3	6	8	2

273

2	4	7	3	5	1	9	6	8
3	6	8	2	9	7	5	4	1
1	9	5	4	8	6	3	7	2
6	8	3	5	1	9	7	2	4
5	1	9	7	2	4	8	3	6
4	7	2	8	6	3	1	5	9
7	2	1	6	3	8	4	9	5
8	5	4	9	7	2	6	1	3
9	3	6	1	4	5	2	8	7

274

1	3	4	9	7	8	6	5	2
5	2	6	4	1	3	7	8	9
9	7	8	5	6	2	1	3	4
6	4	9	8	2	1	3	7	5
7	8	5	6	3	4	2	9	1
2	1	3	7	5	9	4	6	8
3	9	1	2	8	6	5	4	7
8	5	2	3	4	7	9	1	6
4	6	7	1	9	5	8	2	3

275

4	3	6	5	9	7	2	8	1
1	5	2	8	4	6	9	7	3
9	7	8	3	1	2	5	4	6
2	9	3	4	6	1	7	5	8
7	4	5	9	3	8	6	1	2
8	6	1	2	7	5	4	3	9
6	2	4	7	8	3	1	9	5
3	1	7	6	5	9	8	2	4
5	8	9	1	2	4	3	6	7

276

3	4	6	7	9	8	2	5	1
8	7	1	5	4	2	3	6	9
9	2	5	6	1	3	8	7	4
5	1	9	4	8	7	6	3	2
6	8	2	9	3	5	4	1	7
7	3	4	1	2	6	9	8	5
2	5	3	8	7	9	1	4	6
4	6	8	2	5	1	7	9	3
1	9	7	3	6	4	5	2	8

277

7	1	3	2	6	8	5	4	9
8	4	9	5	3	1	2	7	6
5	6	2	7	4	9	3	8	1
9	3	4	1	5	7	6	2	8
6	2	8	4	9	3	7	1	5
1	7	5	8	2	6	9	3	4
3	5	1	9	7	4	8	6	2
2	8	7	6	1	5	4	9	3
4	9	6	3	8	2	1	5	7

278

3	5	9	7	8	2	1	6	4
6	8	2	1	9	4	3	5	7
1	4	7	3	6	5	9	8	2
9	1	4	2	7	6	8	3	5
5	2	8	4	3	1	7	9	6
7	3	6	8	5	9	4	2	1
2	7	5	9	1	8	6	4	3
4	9	1	6	2	3	5	7	8
8	6	3	5	4	7	2	1	9

279

6	1	2	4	7	3	8	5	9
3	5	9	8	6	2	1	4	7
8	4	7	1	5	9	3	2	6
4	7	3	9	1	8	2	6	5
9	8	1	6	2	5	7	3	4
5	2	6	3	4	7	9	1	8
2	6	5	7	9	1	4	8	3
7	3	4	2	8	6	5	9	1
1	9	8	5	3	4	6	7	2

280

2	1	3	7	6	5	4	9	8
6	7	5	4	8	9	2	1	3
4	9	8	1	2	3	7	5	6
8	4	9	2	3	1	6	7	5
3	2	1	6	5	7	8	4	9
5	6	7	8	9	4	3	2	1
7	5	6	9	4	8	1	3	2
9	8	4	3	1	2	5	6	7
1	3	2	5	7	6	9	8	4

281

1	9	7	3	6	5	8	2	4
6	4	5	9	2	8	3	1	7
8	2	3	1	7	4	5	6	9
9	7	6	8	4	2	1	3	5
5	1	8	7	3	9	6	4	2
4	3	2	5	1	6	7	9	8
2	8	1	6	9	7	4	5	3
7	6	9	4	5	3	2	8	1
3	5	4	2	8	1	9	7	6

282

4	7	5	9	3	8	2	6	1
6	1	3	4	2	5	8	9	7
8	2	9	6	1	7	5	3	4
3	9	7	5	4	1	6	8	2
2	6	8	7	9	3	4	1	5
1	5	4	8	6	2	3	7	9
7	3	2	1	8	4	9	5	6
9	4	1	3	5	6	7	2	8
5	8	6	2	7	9	1	4	3

Solutions

283

8	9	2	6	1	7	5	3	4
5	1	3	9	4	2	8	7	6
6	4	7	8	5	3	1	9	2
4	2	8	5	3	1	7	6	9
3	7	1	4	6	9	2	8	5
9	5	6	2	7	8	3	4	1
1	8	4	3	9	5	6	2	7
2	6	5	7	8	4	9	1	3
7	3	9	1	2	6	4	5	8

284

6	2	4	1	9	8	7	5	3
8	9	5	3	7	2	6	1	4
3	7	1	4	6	5	9	8	2
1	3	6	5	4	9	8	2	7
4	8	7	6	2	3	1	9	5
2	5	9	8	1	7	3	4	6
9	6	2	7	8	4	5	3	1
5	1	8	2	3	6	4	7	9
7	4	3	9	5	1	2	6	8

285

4	9	7	1	8	6	5	2	3
6	3	5	2	7	9	4	8	1
8	2	1	4	5	3	6	9	7
3	8	4	9	1	7	2	5	6
5	7	6	8	2	4	1	3	9
9	1	2	3	6	5	8	7	4
1	5	3	6	9	2	7	4	8
7	4	8	5	3	1	9	6	2
2	6	9	7	4	8	3	1	5

286

1	8	2	9	4	7	5	3	6
7	9	6	3	8	5	2	4	1
3	4	5	2	1	6	9	7	8
6	7	4	8	5	1	3	2	9
8	2	3	6	9	4	1	5	7
9	5	1	7	3	2	8	6	4
4	1	7	5	2	8	6	9	3
5	6	9	1	7	3	4	8	2
2	3	8	4	6	9	7	1	5

287

8	5	1	4	7	9	2	6	3
3	6	4	1	8	2	7	5	9
7	9	2	6	3	5	4	8	1
9	3	5	2	1	4	6	7	8
2	4	7	8	6	3	1	9	5
1	8	6	5	9	7	3	4	2
5	1	8	3	4	6	9	2	7
6	2	9	7	5	1	8	3	4
4	7	3	9	2	8	5	1	6

288

1	6	8	7	4	5	2	9	3
5	4	9	2	3	8	6	7	1
3	2	7	1	6	9	5	8	4
4	9	5	6	1	3	8	2	7
6	8	2	9	7	4	1	3	5
7	1	3	8	5	2	9	4	6
8	7	1	4	9	6	3	5	2
2	5	4	3	8	1	7	6	9
9	3	6	5	2	7	4	1	8

Solutions

289

5	3	9	4	8	1	6	7	2
7	4	2	9	5	6	1	3	8
1	8	6	7	2	3	9	4	5
3	5	4	6	1	8	2	9	7
6	7	1	2	9	5	4	8	3
2	9	8	3	7	4	5	6	1
4	2	5	8	6	7	3	1	9
8	1	3	5	4	9	7	2	6
9	6	7	1	3	2	8	5	4

290

5	1	4	8	9	3	2	6	7
6	7	2	5	1	4	9	3	8
8	3	9	7	2	6	5	1	4
1	4	5	6	3	2	8	7	9
9	2	7	1	8	5	3	4	6
3	6	8	4	7	9	1	5	2
7	5	1	9	4	8	6	2	3
2	8	6	3	5	7	4	9	1
4	9	3	2	6	1	7	8	5

291

9	7	1	4	5	3	6	8	2
8	2	6	7	9	1	5	4	3
3	4	5	8	6	2	7	1	9
2	3	4	1	8	5	9	6	7
6	5	8	9	4	7	3	2	1
1	9	7	2	3	6	4	5	8
7	8	9	5	1	4	2	3	6
4	6	2	3	7	8	1	9	5
5	1	3	6	2	9	8	7	4

292

7	9	8	5	4	1	2	6	3
2	5	4	3	8	6	9	1	7
1	6	3	2	9	7	5	4	8
5	7	1	6	2	3	8	9	4
8	2	9	7	1	4	3	5	6
3	4	6	9	5	8	7	2	1
6	1	2	8	3	9	4	7	5
9	3	7	4	6	5	1	8	2
4	8	5	1	7	2	6	3	9

293

5	1	3	6	7	2	4	8	9
2	9	7	8	3	4	6	1	5
8	6	4	5	9	1	3	2	7
6	3	2	1	5	8	9	7	4
1	7	5	9	4	3	8	6	2
4	8	9	7	2	6	1	5	3
3	5	8	2	1	9	7	4	6
9	2	1	4	6	7	5	3	8
7	4	6	3	8	5	2	9	1

294

4	3	9	2	8	6	1	7	5
1	5	2	3	4	7	8	6	9
6	8	7	1	5	9	3	4	2
9	2	4	6	7	3	5	8	1
8	7	3	5	2	1	4	9	6
5	1	6	8	9	4	7	2	3
2	6	5	7	3	8	9	1	4
7	4	1	9	6	5	2	3	8
3	9	8	4	1	2	6	5	7

Solutions

295

7	4	9	2	8	5	3	1	6
5	6	8	9	1	3	4	7	2
2	3	1	4	6	7	8	9	5
6	2	5	1	3	9	7	8	4
4	9	7	6	2	8	5	3	1
1	8	3	5	7	4	6	2	9
3	5	6	8	9	1	2	4	7
8	1	2	7	4	6	9	5	3
9	7	4	3	5	2	1	6	8

296

6	3	4	9	5	2	8	1	7
9	5	7	3	1	8	2	4	6
1	8	2	7	6	4	9	5	3
2	4	8	1	7	6	5	3	9
5	1	9	4	2	3	6	7	8
7	6	3	8	9	5	1	2	4
3	9	6	5	4	1	7	8	2
8	2	1	6	3	7	4	9	5
4	7	5	2	8	9	3	6	1

297

2	4	1	8	7	5	9	3	6
6	5	9	4	3	1	7	8	2
3	7	8	6	9	2	5	1	4
5	2	3	1	4	6	8	9	7
7	8	6	9	2	3	4	5	1
1	9	4	5	8	7	6	2	3
9	3	7	2	6	8	1	4	5
4	1	2	7	5	9	3	6	8
8	6	5	3	1	4	2	7	9

298

6	9	3	7	1	5	8	2	4
5	2	8	6	3	4	1	9	7
4	7	1	2	8	9	6	5	3
8	3	2	1	4	6	5	7	9
1	5	9	3	2	7	4	8	6
7	6	4	5	9	8	2	3	1
3	1	7	4	5	2	9	6	8
9	4	5	8	6	3	7	1	2
2	8	6	9	7	1	3	4	5

299

1	4	9	7	8	5	3	2	6
2	3	5	9	6	1	7	8	4
8	7	6	3	4	2	5	1	9
9	8	4	6	3	7	1	5	2
3	5	2	4	1	9	6	7	8
7	6	1	2	5	8	4	9	3
5	9	3	8	7	6	2	4	1
6	1	8	5	2	4	9	3	7
4	2	7	1	9	3	8	6	5

300

4	6	5	3	2	8	7	1	9
9	3	2	5	1	7	4	6	8
7	1	8	6	4	9	3	5	2
1	9	3	8	7	5	2	4	6
5	2	4	1	3	6	9	8	7
8	7	6	4	9	2	5	3	1
3	4	9	2	6	1	8	7	5
2	8	1	7	5	4	6	9	3
6	5	7	9	8	3	1	2	4

Solutions

301

2	3	1	7	6	9	4	8	5
8	6	4	3	5	1	9	2	7
5	7	9	2	4	8	6	1	3
1	5	3	8	2	6	7	9	4
4	9	8	1	7	3	5	6	2
6	2	7	4	9	5	8	3	1
7	4	6	9	1	2	3	5	8
3	1	5	6	8	7	2	4	9
9	8	2	5	3	4	1	7	6

302

2	9	8	4	7	6	3	1	5
3	7	1	5	9	2	8	6	4
4	5	6	1	8	3	7	9	2
7	8	5	2	6	1	4	3	9
9	1	4	8	3	5	2	7	6
6	3	2	9	4	7	1	5	8
1	4	9	3	5	8	6	2	7
5	6	3	7	2	4	9	8	1
8	2	7	6	1	9	5	4	3

303

9	6	3	4	2	5	8	7	1
2	7	8	1	3	9	6	5	4
5	1	4	6	8	7	2	3	9
7	4	2	5	1	8	3	9	6
6	9	5	2	7	3	1	4	8
8	3	1	9	6	4	5	2	7
1	5	6	7	9	2	4	8	3
3	2	7	8	4	1	9	6	5
4	8	9	3	5	6	7	1	2

304

6	3	8	2	7	9	4	1	5
1	4	7	5	8	6	2	9	3
5	9	2	1	3	4	6	8	7
9	5	1	4	2	3	8	7	6
4	2	6	8	1	7	3	5	9
8	7	3	6	9	5	1	4	2
2	1	9	7	6	8	5	3	4
3	6	5	9	4	1	7	2	8
7	8	4	3	5	2	9	6	1

305

5	9	8	7	6	1	3	4	2
1	7	4	5	3	2	9	8	6
2	6	3	4	8	9	7	1	5
6	5	2	8	9	4	1	3	7
7	4	1	6	5	3	2	9	8
8	3	9	2	1	7	6	5	4
3	8	5	1	7	6	4	2	9
4	1	7	9	2	5	8	6	3
9	2	6	3	4	8	5	7	1

306

1	9	5	4	7	2	8	6	3
2	6	4	1	8	3	9	7	5
8	7	3	5	9	6	4	2	1
5	3	9	2	1	7	6	4	8
4	1	7	6	3	8	5	9	2
6	2	8	9	5	4	1	3	7
9	8	2	7	4	1	3	5	6
7	5	1	3	6	9	2	8	4
3	4	6	8	2	5	7	1	9

Solutions

307

7	1	4	5	9	3	8	2	6
8	3	9	6	2	7	5	1	4
5	2	6	1	4	8	7	9	3
2	5	1	7	3	6	9	4	8
6	4	7	8	5	9	2	3	1
3	9	8	4	1	2	6	5	7
1	7	5	9	8	4	3	6	2
9	6	3	2	7	1	4	8	5
4	8	2	3	6	5	1	7	9

308

3	5	9	7	8	2	4	1	6
1	4	7	5	6	3	8	9	2
8	6	2	4	9	1	7	5	3
4	9	1	2	7	5	6	3	8
6	2	8	3	4	9	5	7	1
5	7	3	8	1	6	9	2	4
7	1	5	6	2	4	3	8	9
9	3	4	1	5	8	2	6	7
2	8	6	9	3	7	1	4	5

309

6	3	8	9	1	5	2	7	4
1	5	2	8	7	4	9	3	6
4	9	7	6	2	3	8	1	5
5	8	6	1	3	7	4	9	2
3	7	9	4	8	2	6	5	1
2	4	1	5	9	6	3	8	7
7	1	3	2	6	9	5	4	8
9	6	5	7	4	8	1	2	3
8	2	4	3	5	1	7	6	9

310

6	3	2	7	9	1	5	4	8
7	5	1	8	2	4	6	9	3
9	8	4	5	3	6	2	1	7
2	6	8	4	7	3	9	5	1
1	9	5	6	8	2	3	7	4
4	7	3	9	1	5	8	2	6
8	4	6	2	5	7	1	3	9
5	1	7	3	6	9	4	8	2
3	2	9	1	4	8	7	6	5

311

4	1	8	2	6	5	7	3	9
9	7	5	3	8	1	2	6	4
6	2	3	4	7	9	8	5	1
8	5	4	9	2	7	3	1	6
1	9	2	6	4	3	5	8	7
7	3	6	1	5	8	4	9	2
5	4	9	8	1	2	6	7	3
3	6	7	5	9	4	1	2	8
2	8	1	7	3	6	9	4	5

312

1	3	4	5	2	9	6	7	8
8	2	9	4	7	6	5	3	1
5	6	7	8	3	1	4	2	9
9	5	8	6	4	2	3	1	7
3	4	6	9	1	7	2	8	5
7	1	2	3	8	5	9	4	6
6	8	3	1	5	4	7	9	2
2	9	1	7	6	3	8	5	4
4	7	5	2	9	8	1	6	3

Solutions

313

4	6	8	3	1	2	9	5	7
5	3	1	7	4	9	8	2	6
9	7	2	8	5	6	4	1	3
7	8	3	5	9	4	1	6	2
1	4	6	2	8	3	7	9	5
2	9	5	6	7	1	3	8	4
6	2	7	9	3	8	5	4	1
3	1	9	4	2	5	6	7	8
8	5	4	1	6	7	2	3	9

314

5	6	3	1	7	4	9	2	8
2	9	8	5	3	6	1	4	7
1	4	7	9	8	2	6	5	3
7	2	6	8	9	3	5	1	4
3	1	9	2	4	5	8	7	6
4	8	5	7	6	1	3	9	2
9	3	2	6	1	7	4	8	5
8	7	4	3	5	9	2	6	1
6	5	1	4	2	8	7	3	9

315

2	3	9	8	4	6	7	1	5
6	7	5	3	2	1	8	4	9
8	1	4	5	7	9	2	3	6
3	9	8	7	1	4	5	6	2
7	5	6	2	9	3	4	8	1
1	4	2	6	8	5	3	9	7
5	6	7	9	3	8	1	2	4
4	2	3	1	6	7	9	5	8
9	8	1	4	5	2	6	7	3

316

1	7	2	5	6	4	9	8	3
5	6	9	7	3	8	2	1	4
3	8	4	1	2	9	7	5	6
8	9	5	2	7	3	4	6	1
7	2	1	4	5	6	3	9	8
4	3	6	8	9	1	5	2	7
9	4	7	6	8	2	1	3	5
6	5	3	9	1	7	8	4	2
2	1	8	3	4	5	6	7	9

317

9	3	4	1	2	7	5	8	6
8	2	6	4	3	5	9	7	1
1	7	5	8	9	6	2	4	3
2	9	3	5	1	4	7	6	8
7	4	8	2	6	3	1	9	5
5	6	1	9	7	8	4	3	2
6	1	7	3	4	2	8	5	9
4	5	9	6	8	1	3	2	7
3	8	2	7	5	9	6	1	4

318

9	2	1	6	7	5	8	3	4
8	4	7	3	1	2	5	6	9
5	6	3	8	9	4	1	2	7
3	7	9	2	5	8	4	1	6
6	1	8	9	4	3	7	5	2
2	5	4	1	6	7	3	9	8
1	8	6	4	3	9	2	7	5
4	3	5	7	2	6	9	8	1
7	9	2	5	8	1	6	4	3

Solutions

319

5	1	3	4	8	9	7	2	6
9	6	4	1	2	7	5	3	8
2	7	8	5	3	6	9	1	4
3	8	6	9	7	4	2	5	1
7	4	5	2	1	8	3	6	9
1	9	2	6	5	3	4	8	7
4	5	7	8	6	2	1	9	3
6	2	9	3	4	1	8	7	5
8	3	1	7	9	5	6	4	2

320

2	9	8	5	3	7	1	6	4
4	7	1	9	6	2	8	5	3
5	3	6	1	4	8	9	2	7
9	4	2	7	5	3	6	8	1
1	5	3	4	8	6	2	7	9
6	8	7	2	9	1	3	4	5
3	6	4	8	1	5	7	9	2
8	2	9	3	7	4	5	1	6
7	1	5	6	2	9	4	3	8

321

7	2	5	8	3	9	4	1	6
8	1	3	7	4	6	5	9	2
9	6	4	1	5	2	3	7	8
6	7	9	4	8	3	2	5	1
4	3	2	5	9	1	8	6	7
5	8	1	2	6	7	9	4	3
3	9	7	6	2	5	1	8	4
1	5	8	3	7	4	6	2	9
2	4	6	9	1	8	7	3	5

322

6	3	1	4	9	5	7	8	2
7	4	8	2	1	6	3	5	9
9	5	2	7	3	8	6	4	1
3	2	4	5	8	7	9	1	6
5	1	6	3	4	9	2	7	8
8	7	9	1	6	2	4	3	5
4	8	7	9	2	1	5	6	3
2	6	5	8	7	3	1	9	4
1	9	3	6	5	4	8	2	7

323

9	1	8	4	3	7	5	6	2
7	5	2	8	6	1	9	3	4
6	4	3	5	9	2	8	1	7
4	3	6	9	1	5	7	2	8
8	9	7	6	2	3	1	4	5
1	2	5	7	8	4	6	9	3
5	7	9	3	4	6	2	8	1
2	8	4	1	7	9	3	5	6
3	6	1	2	5	8	4	7	9

324

3	5	6	4	2	9	8	1	7
2	1	8	7	6	3	5	9	4
7	4	9	1	5	8	3	2	6
8	7	1	6	9	5	4	3	2
6	3	5	8	4	2	9	7	1
9	2	4	3	7	1	6	8	5
4	8	2	9	1	6	7	5	3
5	6	3	2	8	7	1	4	9
1	9	7	5	3	4	2	6	8

325

8	5	3	6	4	7	1	9	2
9	1	7	2	5	3	4	8	6
2	6	4	8	9	1	3	7	5
3	9	5	7	6	8	2	1	4
6	2	8	3	1	4	9	5	7
4	7	1	9	2	5	6	3	8
5	4	9	1	8	2	7	6	3
7	8	6	4	3	9	5	2	1
1	3	2	5	7	6	8	4	9